Rodolfo Di Telo

WIR EUROPÄER WOLLEN WIEDER
MEHR EUROPA WAGEN

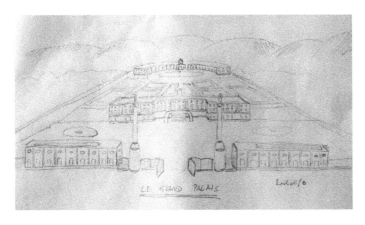

Ein Diskussionsangebot
an junge und junggebliebene Europäer

Gedanken, entstanden während
einer Weltreise Coronazeiten

Bibliografische Information der Deutschen
Nationalbibliothek:
Die Deutsche Nationalbibliothek verzeichnet diese
Publikation in der Deutschen Nationalbibliografie;
detaillierte bibliografische Daten sind im Internet über
http://dnb.dnb.de abrufbar.

© 2020 Rodolfo Di Telo

Lektorat: BoD
Fotos, Zeichnungen, Skizzen: Rodolfo Di Telo
weitere Mitwirkende: Carina Di Telo

Herstellung und Verlag: BoD – Books on Demand,
Norderstedt

ISBN: 978-3-7526-0849-6

Prolog:

„La furtüna sto per via, chi la piglia e chi passa speravia"
„Das Glück steht am Wege; der eine nimmt es, und der andere geht daran vorbei"
(Schweizer Sprichwort (rätoromanisch))

Die Reise ist zu Ende, letztlich glücklich, trotz aller Widrigkeiten und Probleme, die zum Schluss aufgetreten sind. Auch das Coronavirus konnte nur teilweise Macht über uns und unsere Reisepläne gewinnen.

Ich danke Carina, meiner Frau, die während der ganzen Reise ein Tagebuch geführt hat, sodass ich das eine oder andere wieder nachlesen konnte, um Aussagen zu präzisieren; des Weiteren ihre fremdsprachlichen Fähigkeiten, die oftmals unliebsame Probleme verminderten.

Ich danke der Deutschen Bundesregierung, die uns aus Australien zurückgeholt hat. Ohne diese beispiellose Aktion wären wir in Australien „gestrandet" und die weitere Reise wäre „nicht einfacher" geworden.

Ich danke unseren beiden Töchtern, die sich all die Monate unserer Reise um unsere häuslichen Angelegenheiten kümmerten.

Und ich danke allen Freunden und Nachbarn, die es uns ermöglichten so eine tolle und wunderbare Reise zu erleben, wahrlich ein Geschenk.

Inhaltsverzeichnis

1.0. Zusammenfassung 8

2.0. Ziel und Planung..11

3.0. Die Reise 24

4.0. Reisebilder...68

5.0. Europa, ein Plädoyer für einen wunderbaren Kontinent 80

6.0. Die Coronapandemie als Chance für Veränderungen...89

7.0. Die neue Rolle Europas in der Welt, eine wiederbelebte Vision..98

8.0. Supranationale Fragestellungen 159

9.0. Literaturverzeichnis..................................176

1.0. ZUSAMMENFASSUNG

„Eine Reise von tausend Meilen beginnt mit dem ersten Schritt."
(Laotse)

Eine Vision ist wie die Idee zu einer bestimmten Reise; jeder hat eine andere Idee von einer Reise, jeder entwickelt sein persönliches Reiseziel. Es ist die Richtschnur und bildet die Basis für die weiteren Planungen. Jeder, der Reisen plant, weiß das und geht mit einer mehr oder minder klaren Vorstellung (Ziel) an die Planung ran.

„Strategien", „Visionen" sind also nur andere Begriffe für Ziele; „Missions" nur ein anderes Wort für Richtungen oder Wege, die es zu planen gilt, um das Ziel oder die Vision zu erreichen.

Auch und gerade die Politik braucht Ziele; sie braucht VISIONEN, um uns Mitbürgern die Richtung zeigen zu können, wohin ein Staat oder ein ganzer Kontinent strebt.

Die Herangehensweise an Reiseziele und an politische Ziele sind also sehr gut miteinander vergleichbar. Die Umsetzung der Reise selbst beginnt gemäß Laotse (oben) „mit dem ersten Schritt". Soweit, so gut.

Was passiert aber, wenn ein Politiker gar kein Ziel oder gar keine Vision hat? Wie soll der Politiker dann wissen, wohin er gehen soll? Wie soll er die nächsten Schritte planen? Jede Richtung, die er einschlägt, jeder Schritt, den er macht, kann richtig, aber gleichzeitig auch falsch sein; er weiß es einfach nicht. Der Politiker läuft chaotisch im Kreis und findet doch keinen „roten Faden"; er verunsichert die Bevölkerung und mit der Suche von Schuldigen, will er von seiner Unfähigkeit ablenken.

Und das ist mein Eindruck von der heutigen Europäischen Union (EU); es fehlt der EU eine Vision, „wohin die Reise gehen" soll und muss, es fehlt die grundlegende Ausrichtung ihrer politischen Zukunft, es fehlen Politiker mit der Vision eines vereinten Europas, es fehlen Strategen über die Zukunft unserer EU.

Die EU der 27 hat kein Ziel. Sie ist für mich wie ein großes Tankschiff ohne vorgegebene Richtung. Jeder der 27 Insassen vom Maschinisten im Schiffsbauch, bis hoch auf die Kommandobrücke meint die Richtung vorgeben zu müssen, was zu einem kräfteraubenden Dauerstreit unter der Schiffsmannschaft ausartet, bis alle völlig ermattet auf dem Deck liegen. Das Schiff selbst ist dabei aber keinen Millimeter vorangekommen. Erst, wenn der aktuelle für sechs Monate gewählte „Kapitän" etwas aus der Schatulle nimmt und verteilt, wird die Maschine angeworfen, um ein paar Meter weiter zu kommen. Um das Schiff herum lauern schon andere Schiffsbesitzer, man könnte sie auch Piraten nennen, und warten nur bis sie den führungslosen Tanker entern können, um die teure Fracht unter sich aufzuteilen.

Die EU ist leider auch kein Schiffsverbund von 27 Schiffen, da es kein Kommandoschiff gibt, das die Richtung vorgibt; weil jedes der 27 Schiffe das Kommandoschiff selbst sein will. Es ist ein Haufen von 27 Schifflein, die weitgehend voneinander losgelöst durch die Meere schippern und deshalb leicht von anderen Seeräubern gekapert werden können.

Da unsere aktuellen EU-Politiker wohl nicht in der Lage und möglicherweise auch nicht willens sind eine „Europa-Vision" zu kreieren, müssen wir europäische Bürger es selbst in die Hand nehmen. Mit dieser Lektüre möchte ich die eine oder andere Idee und einen möglichen Weg vorstellen, wie das ablaufen könnte. Sie sind eingeladen an der Diskussion teilzunehmen.

Sie, verehrter Leser, werden sich spätestens jetzt fragen, was das mit unserer Weltreise zu tun hat, die ja hier einen großen Teil des Buchs einnimmt. Nun ja, die Weltreise von meiner Frau Carina und mir basierte tatsächlich auf einem klaren Ziel und einer detaillierten Planung; der Reiseablauf war weitgehend stressfrei, bis auf die negativen Einflüsse durch die parallel entstandene Corona-Pandemie. Die Pandemie führte zur Idee Carinas, ein Buch über die Reise zu schreiben. Da nun die Reise der eigentliche Grund für dieses Buch ist, möchte ich Ihnen die Reiseindrücke nicht vorenthalten. Ich habe sie daher dem politischen Teil des Buchs vorangestellt.

Lieber Leser, ich überlasse Ihnen gerne die Wahl das Buch ganz, oder in Teilen zu lesen; die Kapitel zwei bis vier umfassen die Reise mit klaren Zielen und Durchführungsbeschreibungen, die Kapitel fünf bis acht die Vision zu einer neuen europäischen Union inkl. eines möglichen Wegs zur Realisierung.

Mit dem unerwarteten Ausgang unserer Weltreise wurde uns schnell klar, dass es eine Zeit vor Corona gegeben hat und dass jetzt eine Nach-Corona-Epoche beginnen wird, die alle Bereiche unseres Lebens berührt. Die Probleme, die bereits vor Corona virulent waren, werden jetzt umso sichtbarer, etwa die ungelösten Fragestellungen innerhalb der EU, aber auch kritische Themen, wie die immer engmaschigeren, globalen Produktionsketten mit „just-in-time"-Lieferungen und die damit gefährliche Abhängigkeit von weit entfernten Produktionsorten wie China, Indien usw. Die in Europa anfänglich nicht vorhandenen Atemmasken, die bis dato fast ausschließlich in China hergestellt werden oder Antibiotikawirkstoffe, die ebenso fast zu 100% aus Indien oder China stammen, zeigen auf wie abhängig wir in Europa von wichtigen Produkten aus anderen Ländern geworden sind.

Es gibt also viele Bereiche, in denen wir umsteuern müssen, um unsere gemeinsame europäische Zukunft zu sichern.

2.0. ZIEL UND PLANUNG

„Reisen ist niemals eine Frage des Geldes, sondern des Muts."
(Paulo Coelho)

Carina und ich, wir wollten eine Weltreise machen – nicht irgendeine Reise, nein, eine Weltreise, die von den üblichen Pfaden abweicht, nicht zu extrem, aber doch so, dass sie Spuren hinterlässt, dass sie aufhorchen lässt. Die Idee kam uns während unserer zweiten Western-Cape-Reise im Herbst 2017.

Wir beide waren zuvor nur einmal in Peru und Bolivien sowie zweimal in Südafrika gewesen, mehr hatten wir von der südlichen Halbkugel ja nicht gesehen. Die südliche Hälfte hatte ich beruflich kurz schon einmal in Indonesien gestreift, da ich an einer Wiederinbetriebnahme einer Medizinproduktefabrik in Djakarta mitwirkte; aber das war keine wirkliche Reise, sondern ein zeitweiliger Aufenthalt ohne weitere Eindrücke.

Wir wollten also eine Weltreise machen, die die südliche Hemisphäre umspannte, also mehr von Südamerika sowie die Südsee, Neuseeland und Australien. Und der Vollständigkeit halber den östlichen Teil von Südafrika.

Dass wir die Reise letztlich linksherum, also Richtung Westen machten, war einem familiären Zugeständnis geschuldet. Unsere jüngere Tochter Andrea feierte ihre Approbation zum Arzt für Humanmedizin just in der Zeit, in der wir eigentlich schon auf Weltreise sein wollten.

Gemäß unserer ursprünglichen Planung wollten wir die Reise früher beginnen und wären so mit „Corona" während der Weltreise gar nicht in Berührung gekommen. Außerdem hätten wir die Reise rechtsherum, also Richtung Osten begonnen. Dann wäre dieses Buch wahrscheinlich nie entstanden.

Aber wie es die höheren Mächte oder das Schicksal so wollten, traten wir unsere Reise Richtung Westen an, im Bauch ein Gefühl von Abenteuer, weil wir nicht wussten, was auf uns zukommen wird. Wir hatten ja die komplette Tour selbstständig geplant und mussten, trotz sorgfältiger Planung, immer mit Unwägbarkeiten vor Ort rechnen.

So sah unsere Planung aus:

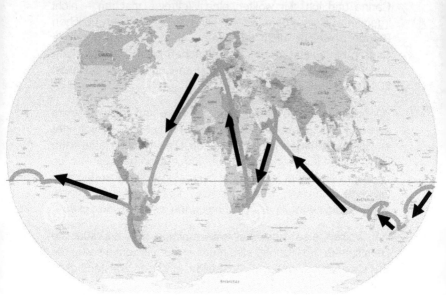

Ein Traum von einer Reise, so etwas macht man nur einmal im Leben.

Und so wäre es wohl auch gekommen.

Die Reise war ein einziger Traum für uns. Bis auf ein paar Kleinigkeiten, die als Begleitmusik jede Fahrt spannend machen, hatten wir wenige Ärgernisse.

Wir beide sind sprachaffin, Carina ist Fachlehrerin für Französisch und Spanisch im Gymnasium, wir beide beherrschen Englisch in Wort und Schrift, da kann eigentlich nicht wirklich viel schiefgehen.

Außerdem hatten wir beide ausreichend internationale Erfahrung durch die vielen Auslandreisen, sowohl privat als auch beruflich, in tropische Länder und auch in Länder mit gemäßigten oder subarktischen Klimazonen.

Wir waren also „Fit for the World!" und dachten uns: „Globe, here we come!"

Organisatorisches war natürlich einiges zu tun, aber über das „doing", also die Reisevorbereitung, gibt es mittlerweile so viele Anleitungen und Hilfen, dass ich mich hier zurückhalten will.

Ich möchte eher auf die Auswahl der einzelnen Reiseziele eingehen, weil es ja „unsere Reise" werden sollte. Wie gesagt, von der südlichen Halbkugel hatten wir vorher nicht viel gesehen und so wollten wir uns auch ausreichend Zeit dafür nehmen, die einzelnen Reisephasen zu erleben.

Eine Pauschalreise kam für uns nicht infrage. Der Reise-veranstalter legt jedes Ziel und jedes Hotel vorher fest, sodass es in der Regel kaum Möglichkeiten gibt, davon abzuweichen.

Schnell wuchs in uns der Wunsch, für jede Etappe circa einen Monat Zeit einzuplanen, was zu einem Gesamtumfang von etwa 19 Wochen (ca. 4,5 Monate) führte. Man wird mir Recht geben, dass das natürlich im Ermessen jedes Einzelnen liegt. Der eine plant einen längeren, der andere einen kürzeren Zeitraum für seine Ziele ein. Es setzt ja ein jeder auch einen anderen Schwerpunkt für seine Reise.

Wir wollten eher Natur und weniger die Städte ansehen. Außerdem hatten wir gewisse Vorbehalte, was Großstädte auf der südlichen Halbkugel anbelangte, hatten wir doch einige Städte wie Kapstadt, Djakarta, Singapur, Lima oder La Paz schon gesehen.

Diese Entscheidung war letztlich auch gut so.

Vorweggenommen, wer New York, Chicago oder Toronto gesehen hat, kann sich vorab ausmalen wie Sydney, Melbourne oder Auckland aussehen werden – und er wird nicht enttäuscht werden, was die Ähnlichkeit anbelangt. Wer Madrid oder Sevilla besucht hat, kann sich schon vorneweg ein Bild von Buenos Aires oder auch Santiago machen. Die Stadtbilder ähneln sich, es gibt wirklich wenig Unterscheidendes. Die (bau-)städtischen Strukturen gleichen sich. Es gibt einen Wettlauf von Hochhäusern im Zentrum mit weitläufigen Vorstadtvierteln in vorwiegend eingeschoßiger Bauweise im Umland. Diese können sich natürlich länderspezifisch unterscheiden, außerdem hat der Kolonialfaktor immer noch einen wesentlichen Einfluss auf den örtlichen Baucharakter.

Also stand für uns fest: mehr Natur. Auch da setzten wir diverse Schwerpunkte. Weil wir davon ausgingen, dass wir wahrscheinlich kein zweites Mal mehr in die Südsee kommen werden, legten wir ein paar Tage und damit ein paar Ziele mehr dorthin. Auch das war rückblickend betrachtet gut so, wenn wir auch das eine oder andere Einzelziel heute anders priorisieren würden.

Und so standen unsere Ziele fest:

Südamerika:
- Rio, Iguazu-Wasserfälle
- Buenos Aires, El Calafate, Perito Moreno Gletscher, südl. Patagonien
- Santiago, Region Osorno mit Puerto Montt und Umgebung südliches Patagonien mit den Torres del Paine-Naturschutzgebieten.

Südsee:
- Osterinsel
- Französisch-Polynesien (Tahiti, Tikehau- und Fakarava-Atoll, Gesellschaftsinseln mit Bora Bora, Raiatea, Tahaa, Huahine, Maupiti)
- Cook-Inseln

Neuseeland:
- Nordinsel
- Südinsel

Australien:
- Ostküste (Sydney bis Brisbane)
- Südküste (Melbourne inkl. Great Ocean Road)

Südafrika:
- Rundreise ausgehend von Durban nach Nordosten in die Wetlands und dann über die Hochebene zurück zu den Drakensbergen und Durban.

So vielfältig wie die einzelnen Länderziele waren, so unterschiedlich waren auch die diversen Transportmittel.

Natürlich stand das Flugzeug im Vordergrund; ohne Flugzeug geht gar nichts. Andernfalls müsste man sich auf eine Schiffstour begeben, für die man dann viele Monate mehr einplanen muss, einfach weil eine Reise mit dem Schiff viel mehr Reisezeit beansprucht als ein Flug für dieselbe Strecke.

Und weil das so ist, nahmen wir das Flugzeug. Ich zählte 24 Einzelflüge für jeden von uns beiden, zusammen also 48 Einzelflüge! Mir ist erst rückblickend bewusst geworden, welch ein energetischer Aufwand für eine solche Tour betrieben werden muss.

Es ist allerdings auch so, dass sehr viele Ziele schlicht Inseln waren, etwa das Tikehau- und das Fakarava-Atoll, oder weit entfernte Orte, die man kaum mit dem PKW oder einem Zug erreichen kann, zum Beispiel Puerto Natales in Südpatagonien.

Alle Flüge buchten wir bereits in Deutschland, in Kauf nehmend, dass mögliche Umbuchungen Schwierigkeiten bedeuten konnten. Allerdings hatten wir uns ein Zeitgerüst gegeben, in dem wir unsere Reise durchführen wollten, sodass für große Umbuchungen oder Zieländerungen gar kein Platz war. Des Weiteren konnten wir bestimmte Abschnitte nur zu festgelegten Zeitkorridoren abfliegen, wie zum Beispiel die Flüge von Santiago-Osterinsel-Tahiti und später weiter von Tahiti zu den Cook-Inseln.

Gerade die Flüge rund um Französisch-Polynesien waren extrem eng gefasst, weil es nur einen Flug pro Woche von der Osterinsel nach Papeete gab, und zwar immer Montagnacht!

Ähnlich war es auch beim Weiterflug von Papeete nach Avarua, Cook-Inseln der Fall. Auch da gab es nur einmal einen Flug pro Woche von Papeete nach Rarotonga, und zwar samstags.

Die Anzahl der Sitze ist also stark limitiert, weshalb es ratsam ist, möglichst früh die Flüge zu buchen, will man genau diese Flugroute wählen. Nachteil ist aber auch, dass man alle Flüge davor und danach dementsprechend abstimmen – und buchen – muss, will man nicht ins „Chaos" geraten.

Wir buchten daher alle Flüge so früh wie möglich und hatten damit aber auch die komplette Reise abgestimmt – ein großer Vorteil, weil wir auch die weiteren Aktivitäten abstimmen konnten. Im Zusammenhang mit den Flügen buchten wir anschließend auch alle Hotels jeweils vor Abflug und nach der Ankunft in der jeweiligen Stadt. Frühere Reisen haben nämlich gezeigt, dass vor jedem wichtigen Flug ein Puffer von einer Nacht stressfreie Stunden beschert.

Viele Strecken planten wir aber auch mit dem Mietwagen, weil diverse Zwischenziele ohne Pkw mit Allrad nicht erreichbar waren, wie zum Beispiel die Torres del Paine, der Perito-Moreno-Gletscher in Südpatagonien oder die wirklich schönen Landschaftsteile auf der Nord- und Südinsel Neuseelands.

Während in Südamerika und in Französisch-Polynesien noch unser bekannter Rechtsverkehr üblich ist, herrscht ab den Cook-Inseln, Neuseeland und Australien Linksverkehr. Auch das musste beachtet werden. Wir hatten allerdings schon Linksverkehrerfahrung aus unseren beiden Südafrikareisen sowie meiner Schottlandtour sammeln können, also vom „Mutterland des Linksverkehrs".

Dabei ist es wirklich empfehlenswert, Pkw mit Automatikgetriebe zu mieten, speziell am Anfang erleichtert das das „Umschalten" von Rechtsverkehr auf Linksverkehr ungemein; schließlich ist man gefordert sich auf den Linksverkehr zu konzentrieren und gleichzeitig auch die diversen Hebel im Auto im Griff zu haben, die durchaus auch vertauscht sind.

Fast alle Mietwagen buchten wir aus zwei Gründen schon in Deutschland, erstens waren ja alle Flüge gebucht, also die An- und Abflugzeiten waren bekannt und weil es zweitens für uns wichtig war, deutsche beziehungsweise europäische Miet-bedingungen zu erhalten, weil die, im Falle von Problemen, rechtlich viel leichter nachverfolgbar sind; man hat sich schließlich im Falle eines Rechtsstreits nur mit deutschem oder europäischem Recht auseinanderzusetzen.

Die Eisenbahn nutzten wir praktisch nie, außer als S-, U- oder Straßen-Bahn in den Großstädten.

Es ist aber auch so, dass Eisenbahnnetze in den von uns bereisten Ländern kaum oder gar nicht vorhanden sind. Dafür gibt es verschiedene Gründe. Im westlichen Südamerika erlaubt die geologische Struktur der Anden zum Beispiel keinen flächendeckenden Ausbau eines Netzes. Des Weiteren ist die Bevölkerungsdichte oft so gering, dass Eisenbahnen nicht wirtschaftlich betrieben werden können. Es gibt sie also nur dort, wo wichtige Güter wie Erze in großen Massen transportiert werden müssen. Das Allrad-Auto ist meist das Mittel der Wahl. Das gilt im Übrigen überall, wo wir waren, in Südamerika, in der Südsee, in Neuseeland und vor allem in Australien.

In Einzelfällen machten wir lokale Schiffstouren wie unsere traumhaft schöne einwöchige Katamarankreuzfahrt zwischen den Gesellschaftsinseln, oder die doch sehr bizarre Airbnb-Bootstour im Fakarava-Atoll.

Und einmal benutzten wir sogar einen Bus, als wir von Foz de Iguazu in Brasilien nach Puerto Iguazu in Argentinien fuhren, diverse Reiseformalitäten und Abenteuer inklusive.

Über weitere Aspekte der Reise möchte ich nun gerne etwas spezifischer eingehen:

- Unterkunft:

Wir hatten ja eine recht große Vorerfahrung bezüglich Unterkunftsarten und -möglichkeiten in Bezug auf die klassische Hotelübernachtung. Auch mit verschiedenen Buchungsarten über die diversen Plattformen wie booking.com oder hotels.com kannten wir uns aus.

Neu für uns beide war Airbnb. Um mehr darüber in Erfahrung zu bringen, machten wir zwei Kurztouren in Deutschland und Österreich mittels Airbnb-Übernachtung.

- Reiseversicherung:

Auch Unwägbarkeiten bei der Gesundheitsvorsorge sind zu berücksichtigen. Absicherungen gegen Krankheit und Unfall, Reiserücktransport sind essenziell und müssen abgedeckt sein.

- Reisekosten:

„Über Geld redet man nicht, das hat man." Das ist ein altes (etwas überhebliches) Sprichwort aus meiner Kindheit. Und ja, für so eine Reise sollte man – untertrieben formuliert – „etwas in der Tasche haben". Es ist ratsam eine so umfangreiche Tour nicht auf die leichte Schulter zu nehmen, sondern vorab das Reisebudget sorgfältig und seriös zu planen. Jeder hat eine andere Vorstellung über seinen Lebensstil und seine Reisegewohnheiten, das sollte sich auch im Budget widerspiegeln. Sich in die Tasche zu lügen, kann zu großen wirtschaftlichen Schwierigkeiten führen und sollte vermieden werden.

Ich empfehle, dass jede umfangreiche Reise wie ein eigenständiges Projekt betrachtet werden sollte. Man erstellt vorab ein möglichst detailliertes Projektbudget, das in Zusammenhang mit einem ausreichend exakten Terminplan beziehungsweise einer Aktivitätenliste stehen sollte. Meine persönliche Erfahrung, Kosten und Termine stehen bei jedem Projekt immer in einem engen Verhältnis zueinander.

Reiseausgaben Weltreise südliche Erdhalbkugel (Südamerika-Südsee-Neuseeland-Australien-südliches Afrika), Durchführung							
		Gesamtüberblick				Revision	10	19.12.2015
Ausgabenblöcke			Summe			Rechnungen	
			Budget	Rechnungen (Buchung offen)	Gesamt	offen	bezahlt
Gesamtsumme			50.000,00 €	23.081,30 €	24.981,00 €	48.172,30 €	2.619,95 €	22.430,61 €
Flüge			14.000,00 €	12.931,38 €	0,00 €	12.931,38 €	0,00 €	12.931,38 €
Hotel			16.000,00 €	5.335,87 €	6.740,00 €	12.075,87 €	2.336,71 €	3.499,32 €
Tagesausgaben			10.000,00 €	0,00 €	14.412,00 €	14.412,00 €	0,00 €	1.492,00 €
Leihwagen			6.000,00 €	2.811,85 €	2.009,00 €	4.820,85 €	274,24 €	2.507,51 €
Extraaktivitäten			4.000,00 €	2.012,20 €	1.820,00 €	3.932,20 €	0,00 €	2.012,20 €

Beispiel Reisekostenbudget/-plan

Bekannte Kalkulationsprogramme wie Excel sind dabei nützlich. Man legt für jeden Hauptposten ein separates Unterblatt an und detailliert das Unterbudget dann so genau wie möglich. Das Summenblatt zeigt dann das Gesamtbudget.

Folgende Hauptposten sind in der Regel immer dabei:

- Flüge
- Hotels
- Tagesausgaben (täglicher Essensbedarf, Eintritte, Visa etc.)
- Transportkosten (Leihwagen, Benzin, Mautgebühren, Bahn, Bus etc.)
- größere Extraposten (Sonder-„Vergnügen" wie Versicherungen, Ballonfahrten, Schiffstouren etc.)

In den Unterblättern werden nun die tatsächlichen Ausgaben den individuellen Budgets gegenübergestellt und wenn möglich gleich den diversen Rechnungen zugeordnet.

Dieses Kostengerüst muss während der gesamten Planungs- und Reisephase laufend ergänzt und adaptiert werden (Soll/Ist-Abstimmung). Auf diese Weise wird es keine negativen Überraschungen geben, weil man zu jedem Zeitpunkt sieht, wohin sich die Ausgaben entwickeln.

Natürlich ist die oben aufgeführte Aufstellung nur ein Beispiel und muss von jedem selbst definiert werden. Unterblätter lohnen sich auch nur dann, wenn sie grundsätzlich für mehr Transparenz sorgen, für ein oder zwei Unterposten wird man kein extra Unterblatt anlegen.

Unsere Reise war zum Beispiel für 128 Tage angesetzt, das heißt, für 128 Tage Mahlzeiten sowie Hotelübernachtungen oder 48 Einzelflüge kalkulieren, da lohnt sich ein jeweiliges Unterblatt und sorgt für Transparenz in den Kosten.

- Reisetermine/-aktivitäten:

In Abstimmung mit dem Kostenplan sollte immer auch ein Reiseterminplan erstellt werden, in dem die jeweiligen zeitlichen Aktivitäten festgehalten sind wie zum Beispiel:

- Flugzeiten, -nummern, Abreise- und Ankunftsdaten etc.
- Hotels/Unterkünfte mit Adresse und Anzahl der Nächte etc.
- Leihwagen, Abholorte und -zeiten etc.
- mögliche Reiseunterziele

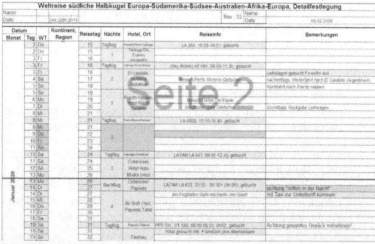

Beispiel Reiseterminliste

- Individuelle Touren in den Ländern:

Die einzelnen Reisen legten wir ausschließlich mit den oben erwähnten Leihwagen zurück. Mittels Maps und Routenplaner erstellte ich noch zu Hause die wichtigen und langen Routen, sodass wir ein sehr gutes Grundgerüst von den jeweiligen Distanzen und Routen hatten. Vor Ort half ein Navigator im Auto.

- Organisation zu Hause:

Jeder wird mir Recht geben, dass die Reiseplanung selbst, also das Planen der Reiseziele inklusive der notwendigen Kosten und Termine, die schönere Seite der Medaille ist. Man ist in den Gedanken weit fort, durchlebt schon mal im Kopf die zukünftigen Ziele, ist aufgeregt und erwartungsvoll, liegt schon in den Hotelbetten und genießt den Ausblick aus dem Hotelfenster.

Für kürzere Reisen, die meist nur ein Ziel im Fokus haben, ist das auch schon ausreichend, weil in der Regel wenig weitere Schritte zu bedenken sind. Man sperrt die Tür hinter sich zu, steigt in das Taxi und lässt sich zum Flughafen bringen.

Bei längeren Reisen rückt aber die nicht so prickelnde Seite der (Reise-)Medaille mit in den Vordergrund, weil es mit dem Zusperren allein wirklich nicht getan ist. Es sind mehr Aspekte zu beachten, will man während der Reise oder bei der Rückkehr kein blaues Wunder erleben. Erfahrene Traveller wissen, was ich meine:

- Sicherheit der Wohnung/des Hauses (Einbruch, Vandalismus etc.)
- Berücksichtigung eventueller Schäden (Wasser, Wind, Frost/Schnee im Winter etc.)
- Pflanzen, Blumen, Rasen
- Haustiere
- Erreichbarkeit, Kontaktpflege

- Post, Telefon/Fernsehen, terminierte Überweisungen /Zahlungen etc.
- Reisekranken-, Unfallversicherung, Rücktransport etc.
- generelle Unwägbarkeiten

All diese Aspekte sollen nur stichwortartig erwähnt werden und erheben keinen Anspruch auf Vollständigkeit. Sie können aber durchaus zu sehr vielen Fragen und vor allem Sonderaktivitäten führen, die weit über das übliche hinausgehen.

Natürlich erlauben die heutigen Informationsmittel (Handy, Tablet, Laptop etc.) schnelle Kontakte und Reaktionen, aber was hilft es, wenn man zum Beispiel gerade in Südpatagonien ist und es wird in das Haus eingebrochen. Da sollte man sich schon vorher überlegt haben, was man zu tun gedenkt, abzubrechen und nach Hause zu fliegen oder doch die Reise fortzusetzen.

- Reisedokumente (Geld, Pass, Ticket):

Ich war wie erwähnt während meines Berufslebens bereits viel auf (Fern-)Reisen. Da entwickelte ich mir einen einfachen Dreiklang, „Geld-Pass-Ticket", den ich mir vor jeder Reise, auch Zwischenreise, vorsagte, damit ich nichts Wesentliches vergesse. Und tatsächlich sind es nur diese drei Dinge, die zu jedem Zeitpunkt einer Reise essenziell sind und die ich immer behütete wie meinen Augapfel. Jeder wird mir Recht geben, dass Schuhe, Hosen oder Zahnpasta lässliche Verluste sind, dass aber der Verlust eines Visums oder gar des Reisepasses zu großen Schwierigkeiten führen kann. Erwähnt sei hier die rechtzeitige Besorgung notwendiger Visa, heute meist über das Internet.

Das gleiche gilt für das Geld, also Barmittel, Kreditkarten oder Reiseschecks sowie für Tickets, also Flugtickets, Leihwagen- oder Hotelvoucher.

- Kleidung, Hygieneartikel und andere Reiseartikel:

Da diese Reiseutensilien höchst individuell sind, möchte ich mich hier gar nicht auslassen. Erwähnt sei nur, dass wir sehr unterschiedliche Klimazonen bereisten und uns daher auch kleidungsmäßig darauf einstellen mussten. Wir wählten eine leichte und wasserdichte Außenhaut (keinen Anorak!) und darunter je nach Wetter und Temperatur leichte Hemden und Pullover in unterschiedlicher Anzahl. Dieses „Zwiebelprinzip" ist wirklich simpel, aber praktisch.

- Fotoausrüstung:

Auch die Foto- oder Videoausrüstung ist höchst individuell zu sehen. Der eine reist ausschließlich mit einem Smartphone und stellt alle Bilder in den täglichen Status, sodass die Freunde immer auf dem Laufenden sind, der andere möchte mehr und hat eine ganze Batterie an Wechselobjektiven und sonstigen Utensilien dabei. Ich hatte einen separaten Kamerarucksack dabei, weil ich doch das eine oder andere spezielle Foto machen wollte.

Die Planung war abgeschlossen und am 18. Dezember 2019 begann die Reise.

3.0. DIE REISE

„Es liegt eine Art Magie über dem Fortgehen, um dann völlig verändert zurückzukehren."
(Kate Douglas Wiggin)

Vorab zur Info, alle Bilder zur Reise sind in Kapitel 4, Reisbilder zusammengefasst.

Planen ist schön und erzeugt Vorfreude auf das vor einem stehende und jeder wird mir zustimmen, dass die Freude mit jedem Tag, mit dem die Abreise näher kommt, immer größer wird. Dabei steigt zeitweise auch das bange Zweifeln, ob man auch wirklich an alles gedacht hat.

Immer wieder ging ich die Listen durch, damit ich auch ja nichts vergesse, prüfte die Unterlagen, sortierte die Reiseutensilien auf Stapel, führte zum Ende hin Probewägungen durch, um ja nicht das geforderte 23-kg-Gepäcklimit zu überschreiten und wägte ab, was wichtiger ist und in den Koffer muss.

Und dann am 18. Dezember 2019 ging's los! Unsere Tochter Andrea fuhr uns zum Flughafen, wir verabschiedeten uns, winkten uns noch einmal zu und tauchten in den Frankfurter Flughafen ein.

Es herrschte wie immer das mir sehr vertraute Gewusel eines großen Flughafens. Ich liebe den Frankfurter Flughafen, diese Geschäftigkeit, dieses internationale Flair, das Kommen und Gehen, nein, das hektische Laufen der Menschen aus aller Herren Länder.

Und ja wie angenehm, von Frankfurt kommst Du praktisch Non-Stopp (fast) überall hin! Kein umständliches Umsteigen, kein hektisches Laufen durch die Gänge. Einfach Einchecken, das Gepäck abgeben, durch die Personenkontrolle und schon ist man drin.

Außer man hat nicht so teure Tickets einer anderen Linie gebucht, wie wir, sodass wir letztlich doch in Lissabon umsteigen mussten. Und das sollte der erste und auch letzte Umstieg während der ganzen Reise bleiben.

Na gut, also ein Stopp in Lissabon, aber der hatte es in sich. Wir flogen mit einiger Verspätung von Frankfurt ab und kamen dementsprechend verspätet in Lissabon an. Beim Anflug gab es starke Seitenwinde und so musste der Pilot die Landung abbrechen und nochmals eine Runde ziehen. Eine zusätzliche Verspätung. Wir gaben schon die Hoffnung auf, den Anschlussflug nach Rio zu erreichen, aber beim zweiten Versuch klappte die Landung und wir rannten, was wir konnten, durch die leeren Hallen – es war ja schon weit nach Mitternacht. Der Pilot der Maschine nach Rio hatte ein Einsehen mit uns und wartete. Wir waren allerdings nicht die einzigen, es war eine ganze Gruppe von Passagieren, die da durch die Hallen hastete. Ohne uns „Frankfurter" wäre seine Maschine wahrscheinlich halbleer nach Rio geflogen. Also gut, wir erreichten das Flugzeug, hetzten hinein, ergatterten unseren Sitzplatz und atmeten glücklich durch. Es war der erste und letzte physische Stresstest auf unserer Reise, alle weiteren Flüge verliefen harmonisch und stressfrei.

Wir flogen in Lissabon natürlich verspätet ab, aber das kümmerte uns nicht weiter, weil unsere erste Destination, Rio de Janeiro, für den nächsten Morgen, den 19.12.2020 geplant war. Die Ankunftszeit spielte für uns dabei keine Rolle mehr.

3.1   Südamerika

Die ersten Ziele in Südamerika waren sozusagen „Muss-Ziele". Wenn du schon mal in Südamerika bist, schaust du da vorbei. Das soll nicht kritisch oder gar überheblich klingen, sondern nur eine Feststellung sein, weil das einfach so ist. Es gibt schließlich viele Orte in der Welt, die einzigartig sind, an die man aber nicht gleich sein Herz verliert.

3.1.1 Rio de Janeiro

Rio, unser erstes Ziel, ist zum Beispiel so ein Ort. Copacabana, Ipanema, Corcovado und Zuckerhut sind selbstredend und muss man gesehen haben.

Über Rio muss man nicht viel erzählen, dafür waren schon zu viele Menschen da. „Armut" (Favelas) haben wir uns nicht angesehen, wir sind beide keine „Armutstouristen". Also weiter zum nächsten Ziel.

3.1.2 Iguazu

Iguazu war mein persönliches Wunschziel, wollte ich doch meinen „Dreierpack" vollmachen, nach den Niagara- und den Victoriafällen (siehe Kapitel 4, Reisebilder)

Wir erlebten die Iguazu-Wasserfälle von beiden Seiten, da wir von Rio kommend in Foz de Iguazu, Brasilien, landeten und zuerst zur brasilianischen Seite der Fälle fuhren (das Bild in Kap. 4 stammt von dort). Danach benutzten wir den Bus als Transportmittel, um nach Argentinien zu kommen.

Praktischerweise gibt es eine Busverbindung zwischen der brasilianischen Seite der Wasserfälle und der Stadt Puerto Iguazu in Argentinien. Allerdings war uns nicht bewusst, wie viel Zeit und Formalitäten notwendig sind, um den Grenzübertritt zu bewerkstelligen. Das war schon recht abenteuerlich, musste der Bus doch an der Grenze die ganze Zeit auf uns warten, bis wir als Nichtbrasilianer und Nichtargentinier alle Einreise- und Zollformalitäten inklusive Kofferröntgen hinter uns hatten. Wir waren ja keine „Tagesgäste", sondern wollten letztlich weiter nach Buenos Aires reisen. Dankenswerterweise ließ der Fahrer uns nicht im Stich, obwohl er recht lange warten musste. Zeit ist, Gott sei Dank, noch nicht überall bares Geld. Na ja ein Trinkgeld gabs schon für ihn.

Ich nahm die Wasserfälle von der argentinischen Seite noch viel beeindruckender wahr, ist man doch viel näher an den Fällen, oder besser in den Fällen, als auf der brasilianischen

Seite. Man ist da praktisch direkt im Geschehen, Feuchtigkeit und Nässe inklusive (Achtung auf die Kameras!), aber ich fand, dass man von der brasilianischen Seite aus den besseren Überblick hat. Mich muss niemand überzeugen, diese Naturschauspiele sind überall überwältigend. Das war letztlich das, was wir auch sehen wollten. Wirklich einzigartig!

Zum Schluss machten wir noch einen Abstecher zum Dreiländereck Brasilien-Argentinien-Paraguay.

Erwähnenswert ist natürlich der berühmte Itaipu-Staudamm, der für lange Zeit der größte Staudamm der Welt war, bevor er vom Drei-Schluchten-Staudamm in China abgelöst wurde und jetzt nur noch der zweitgrößte ist.

Nach Iguazu gings am 24. Dezember mit dem Flugzeug weiter nach Buenos Aires. Das passiert, wenn die zeitliche Taktung wenig Fenster offen lässt.

3.1.3   Buenos Aires

Abends in Buenos Aires angekommen fuhren wir direkt in unser vorgebuchtes Hotel, das sehr zentral an der Avenida 9 de Julio lag. Da Weihnachten war, war praktisch alles zu – auch das Hotelrestaurant! Und so feierten wir unseren Weihnachtsabend mit ein paar Snacks und Wein auf dem Hotelzimmer. Weihnachten der etwas anderen Art eben.

Buenos Aires war sicherlich eine beeindruckende Stadt in den Hochzeiten Argentiniens, heute ist sie leider nur noch ein Schatten ihrer selbst. Die Armut ist beklemmend und erlaubt schon einen ersten Eindruck von der großen Armut, die in ganz Argentinien herrscht. Die zentralen Boulevards sind ja noch ansehnlich, aber nur zwei, drei Straßen davon entfernt siehts schon ziemlich düster aus. Sehr beeindruckend ist der Friedhof „La Recoleta" im Stadtviertel Recoleta. Aufs Sterben wird in Buenos Aires wohl sehr viel Wert gelegt.

Sehr gut gefallen hat uns auch das Teatro Colon, das wohl zu den größten Theatern der Welt zählen kann. Es hat etwa 2.500

Sitz- und 1.000 Stehplätze. Der prächtige Bau ist ein architektonisches Juwel aus einer Zeit, in der Argentinien noch zu den reicheren Ländern der Erde zählte.

3.1.4 Santiago de Chile

Wir freuten uns schon sehr darauf, in Santiago landen zu dürfen, denn dort warteten schon Ramon und Benita am Flughafen auf uns – zwei eigentlich alte Bekannte, die wir aber zum ersten Mal persönlich kennenlernen durften, obwohl wir, also mehr Carina, sie schon oft am Telefon sprechen konnten.

Mit Ramon und Benita verbindet sich eine langjährige Freundschaft, da sie die Gasteltern unserer Tochter Johanna waren. Sie nahmen vormals Johanna für ein ganzes Jahr ausgesprochen herzlich bei sich auf. Sie waren es auch, die Johanna später anregten, sich intensiv mit dem spanischen Kulturkreis zu beschäftigen, was letztlich dazu führte, dass Johanna spanisch (neben Englisch) für das Lehramt studierte und heute im Gymnasium unterrichtet.

Und so herzlich nahmen sie auch uns beide bei sich auf. Sie kümmerten sich um uns und stellten uns der ganzen Familie vor. Sie machten mit uns Ausflüge in die Gegend, zum Beispiel nach Vina del Mar, das am Pazifik liegt oder auch nach Chillan. Das wunderbare aber daran ist eigentlich, dass man in einem fremden Land mit den Menschen zusammenleben darf und so einen intimen Einblick in deren Lebensgewohnheiten erhält. So durften wir Ramon auf seine tägliche, oder genauer gesagt nächtliche Tour zum Großmarkt „La Vega" in Santiago begleiten. La Vega ist der größte Gemüsemarkt von Santiago, auf dem jeden Tag (besser jede Nacht!) für Millionen (in Euro) Gemüse und Früchte aller Art gehandelt werden. Es ist einfach unbeschreiblich, wie auf einem riesigen Gelände ganze LKW-Ladungen von Mais, Kartoffeln, Salat, Zwiebeln, Karotten, Avocado und Wassermelonen den Besitzer wechseln. La Vega ist eine Welt für sich, die man nur erleben kann, wenn man jemand kennt, der dort Zutritt hat. Das zu erfahren war allein schon ein einzigartiges Erlebnis!

Vorweg sei gesagt, dass wir praktisch zweimal bei Ramon und Benita wohnten, weil wir von Santiago aus Kurzreisen nach Puerto Montt sowie weiter südlich nach Puerto Natales machten, bevor wir von Santiago aus weiter zu den Osterinseln flogen.

3.1.5 „Region de los Lagos" mit Puerto Montt und Osorno

Diese Region zählt fraglos zu den landschaftlich abwechslungsreichsten und fruchtbarsten Gegenden Chiles. Die Landschaft zeigt sich in einem saftigen Grün mit viel Weideland sowie augenscheinlich glücklichen Kühen und ähnelt stark unseren mitteleuropäischen Voralpen. Das ist wohl ein Grund dafür, dass ehemals viele Mitteleuropäer dorthin auswanderten. Sie konnten sich ein bisschen wie zu Hause fühlen. Die ganze Region wird überragt vom Vulkan Osorno, einem wirklich beeindruckenden Bergkegel in höchster Vollendung, natürlich mit blendendem Schneeweiß auf der Spitze.

3.1.6 Südliches Patagonien in Chile und Argentinien

Nach Puerto Montt reisten wir weiter südlich nach Puerto Natales; die Stadt ist nur noch circa 200 Kilometer nördlich von Punta Arenas, der südlichsten Stadt Chiles. Puerto Natales liegt ungefähr auf dem 51. Breitengrad, südliche Breite, also ungefähr auf der gleichen Höhe wie Frankfurt, nördliche Breite. Aber obwohl wir im Hochsommer dort waren, fühlte es sich viel kälter an als bei uns im Sommer. Ein dickerer Pullover musste immer dabei sein. Generell ist es auf der südlichen Halbkugel viel kälter als bei uns, nicht nur in Südamerika, auch in Neuseeland oder in Australien.

Nur so nebenbei: Dass es bei uns in Europa so warm ist, verdanken wir dem Golfstrom, der uns Europäer seit Jahrmillionen mit Wärme versorgt und uns erlaubt, auch noch am Nordkap, circa 71 Grad nördliche Breite, vernünftig zu (über-)leben. Auf der südlichen Halbkugel würden wir da schon auf dem antarktischen Eisschild ausharren müssen.

Also Patagonien!

Puerto Natales selbst sieht recht ärmlich aus und zählt sicherlich nicht zu den kulturellen Brüllern, hat aber eine gute strategische Ausgangsposition für Ausflüge in die chilenische und argentinische Graslandschaft. Patagonien hat einige wunderschöne Szenerien, von denen wir das „Torre del Paine"-Naturschutzgebiet in Chile und den Perito-Moreno-Gletscher in Argentinien vorab auswählten. Und es hat sich gelohnt!

Wer hier selbst reist, lässt sich auf ein Abenteuer ein. Schon beim Buchen des Leihwagens wurde man verpflichtet, ein Allrad-SUV zu buchen, wollte man die chilenischen UND die argentinischen Gegenden abfahren. Warum, dazu wurden wir unmittelbar an der chilenisch-argentinischen Grenze belehrt, da begrüßte uns ein riesiges Schlammloch, sodass ich voll bremsen und in den Allrad schalten musste, um weiterzukommen. Ab hier war dann für einige Kilometer Schluss mit lustig.

Aber der Reihe nach. Nach Übernahme des Leihwagens in Puerto Natales fuhren wir noch am selben Tag weiter nach El Calafate in Argentinien, dem Ausgangspunkt zum Besuch des Perito-Moreno-Gletschers. Die Straßen und die generelle Infrastruktur sind in Chile sicherlich auf dem höchsten Niveau gemessen am Rest Südamerikas. Das konnten wir schon bei unseren Ausflügen rund um Puerto Montt feststellen und das war auch rund um Puerto Natales so. Bis zum chilenischen Grenzposten „Cerro Castillo" war die (Straßen-)Welt noch in Ordnung und wir sind zügig vorangekommen. Auch die kurze Strecke vom Posten zur Grenze war sehr gut ausgebaut, aber in dem Moment, als der Grenzpfosten auftauchte, versank die Straße wortwörtlich in einem Schlammloch. Wir konnten nur noch im Schritttempo weiterfahren, um den argentinischen Grenzposten zu erreichen. Der Grenzposten war aber völlig herabgekommen und ähnelte mehr einer Ruine als einem zivilen Gebäude. Das Grenzpersonal, das in dieser Ruine arbeiten musste, war aber sehr freundlich und zuvorkommend. Sie taten mir richtig leid, sie können ja nichts dafür, dass

Argentinien so verarmt ist. Danach konnten wir die Fahrt recht schnell fortsetzen.

Patagonien ist beeindruckend: Eine (fast) baumlose Graslandschaft erstreckt sich scheinbar endlos bis zum Horizont, zwischen den sanften Hügeln verlieren sich in großen Abständen riesige Herden von glücklichen Rindern, von einer Wiese zur nächsten ziehend. Einem Steakgenießer, wie auch ich einer bin, läuft dabei das Wasser im Mund zusammen und er freut sich schon auf den Abend mit „Assado"! Ab und zu sieht der Fahrer eine Hazienda, hineingeduckt in der Weite. Und Stille rundherum, der Reisende ist allein, gefühlt einmal jede Stunde kommt einem ein Auto entgegen. Man tut gut daran, möglichst immer mit einem gefüllten Benzintank unterwegs zu sein, oder einen gefüllten Reservekanister bei sich zu haben, weil Orte rar sind und Tankstellen noch seltener. Auf einer Distanz von Puerto Natales, Chile bis nach El Calafate, Argentinien von circa 350 Kilometer zum Beispiel gibt es unterwegs gerade mal eine Tankstelle!

Da ja praktisch niemand unterwegs ist, hast du die Straßen für dich allein und kommst je nach Straßenzustand zeitlich gut voran, solange man auf den geteerten Straßen bleibt, auch wenn du dann Umwege in Kauf nehmen musst.

Nach vielen Stunden Fahrt und schon spät abends, aber noch bei Tageslicht, erreichten wir dann endlich El Calafate, denn wir waren ja im Sommer unterwegs.

El Calafate ist nichts Besonderes, hat aber den strategischen Vorteil, der Ausgangspunkt für die Besucher des Perito Moreno Gletschers zu sein, und ist daher recht touristisch. Die zwei Tankstellen im Ort sind völlig überlastet und Schlange stehen wird zum Ritual. Sie sind die einzigen auf einem Radius von gefühlt 150 Kilometer.

Am nächsten Tag gings direkt zum Perito-Moreno-Gletscher, der in einem eigens dafür geschaffenen Naturschutzgebiet liegt. Der angrenzende Lago Argentino, der größte See Argentiniens, ist praktisch der Endmoränensee vom Gletscher. Alles zusammen ein einzigartiges Naturerlebnis, der riesige Gletscher, etwa 4 Kilometer breit, circa 60 bis 70 Meter hoch an der Abbruchkante, das andauernde „Kalben" des Gletschers, wahrlich sehenswert.

Danach wieder dieselbe Strecke zurück nach Puerto Natales und in das „Torres del Paine"-Naturschutzgebiet. Wohl dem, der einen Allrad-SUV fahren darf! Lauter Schotterstraßen der unwegsameren Art. Aber es lohnt sich, es ist Abenteuer pur.

Das „Torres del Paine"-Naturschutzgebiet ist wirklich sehenswert und das Schöne ist auch, dass man das Gebiet sehr gut zu Fuß erwandern kann, was wir auch taten.

Danach ging es wieder zurück nach Santiago und von dort weiter auf die Osterinseln.

Fazit zu Südamerika:

Dies war ja nun der zweite Aufenthalt auf diesem Teilkontinent nach Peru und Bolivien im Jahre 1987. Vieles hatte sich in den über 30 Jahren natürlich fortentwickelt, aber egal ob Brasilien, Argentinien, Bolivien oder auch Chile, alle diese Länder leiden im Kern unter der andauernden Korruption und Ausbeutung durch die machtpolitische Elite der oberen Hundert (Familien). Wann darf dieser Kontinent endlich zur Ruhe kommen? Er hat es verdient.

Es gibt so viele wunderschöne und einzigartige Flecken, die es wert sind, sich anzusehen oder zu erwandern.

3.2   Südsee

Für die Südsee planten wir das größte Zeitfenster von allen Reiseabschnitten, weil wir wussten, dass wir dorthin mit Sicherheit nie mehr kommen werden. Man soll zwar niemals nie sagen, weil es im Leben oft anders kommt, als man denkt – die Corona-Pandemie hat es ja eindeutig vor Augen geführt –, aber die Südsee ist von Europa aus einfach zu weit weg. Man fliegt nicht einfach mal dorthin, sondern muss eine Reise sorgfältig planen. Außer man hat Verwandte oder Bekannte, die dort leben, da ist es vermutlich einfacher.

Außerdem leisteten wir uns in der Südsee auch einen kleinen Lebenstraum: Wir buchten eine achttägige Kreuzfahrt auf einem, für unsere Verhältnisse, wirklich luxuriösen Katamaran mit allem Komfort, um die Gesellschaftsinseln zu befahren. So verbrachten wir einen ganzen Monat in der Südsee.

Apropos Corona, während des Südamerikaabschnitts merkten wir gar nichts. Erst während der Südseereise vernahmen wir ein erstes, schwaches Wetterleuchten – wie die Ankündigung eines Gewitters –, weit weg und kaum vernehmbar. Da wurden die ersten Fälle aus Italien gemeldet, infiziert von Reisenden, die vorher wohl in Wuhan waren.

Obwohl die Osterinseln geographisch zu Chile gehören, jeder wird mir Recht geben, sie eher zur Südsee zu zählen und deshalb führe ich sie unter dem Kapitel „Südsee" weiter.

Zu den Osterinseln sind wir gekommen, sprichwörtlich „wie die Jungfrau zum Kind". Wir wollten ja von Santiago, Chile weiter nach Französisch-Polynesien fliegen und fanden dazu keine passenden Flüge, außer unter Inkaufnahme großer Umwege wie zum Beispiel über Los Angeles. Das aber wollten wir vermeiden.

Und so kam es, dass wir den Flug mittels LATAM von Santiago über Hanga Roa, Osterinsel nach Papeete, Tahiti buchten. „What a pity!", würde ein Engländer ausrufen. Und so mussten wir leider auch noch die Moai angucken! Also die Osterinseln sind ja wirklich so was von abseits jedes Touristenpfades, man muss dort wirklich richtig hinwollen! Außerdem findet man diese Inseln gar nicht auf einem üblichen Globus, weil sie meist von irgendwelchen Bemerkungen überdeckt sind (zumindest auf unserem Globus zu Hause ist es so). Aber uns fiel dieses außergewöhnliche Ziel quasi in den Schoß, weil jede andere Route viel zu umständlich geworden wäre.

Na ja, hinkommen geht ja noch von Santiago aus und auch nach Santiago zurück, da gibt es mehrere Flüge pro Woche, aber weiter nach Tahiti, da wird's eng. Es gibt nämlich nur einen Flug einmal die Woche von Hanga Roa nach Papeete, und zwar montags.

Diesen Flug also und den weiteren von Papeete auf die Cook-Inseln buchten wir so früh wie möglich, aber zu diesem Flug komme ich später noch. Jeder Reisende, der eine ähnliche Route plant, sollte das wissen, sonst kommt er in ernste Planungsschwierigkeiten.

3.2.1 Osterinseln

Die Osterinseln waren also nicht im primären Fokus unserer ersten Planungen, aber letztlich war ich dann hocherfreut, dorthin zu kommen. Ich hatte als kleiner Bub (österreichisch für Junge) das sehr spannende Buch „Aku-Aku – das Geheimnis der Osterinsel" von Thor Heyerdahl gelesen und damals geglaubt, niemals dorthin zu kommen, weil es so weit weg war. Aber das Schicksal meinte es wohl gut mit mir und zwang uns beim Planen der Weltreise, auch die Osterinseln zu berücksichtigen. Wir haben es nicht bereut, einmal vor diesen absolut beeindruckenden Steinskulpturen zu stehen! Es macht einen andächtig, vor so viel bildhauerischem Können zu verweilen. Wie viele Monate oder Jahre müssen die Steinmetze an einer einzigen Statue gearbeitet haben? Und das mitten im Nirgendwo und mit welch einfachen Mitteln. Die Polynesier – oder waren es doch die Indianer Südamerikas? – waren auch hervorragende Segler, die den Pazifik beherrschten.

Der Eintritt zu den einzelnen Kulturstätten erzeugte bei uns allerdings eine spontane Schnappatmung. 80 USD – in Worten: achtzig US-Dollar! – pro Person, und das bar, cash. Die Verwaltung akzeptierte keine chilenischen Pesos. Du musst also USD bar dabeihaben, oder – welch eine Frechheit – du musst USD wechseln, wenn du keine dabeihast! So etwas nenne ich eine knallharte Abzocke.

Zusätzlich fragten wir uns, wohin das Geld versickert. Es kommen doch recht viele Touristen nach Rapa Nui, um die Moai zu sehen. Die Inselgruppe selbst gibt nämlich nicht viel her; dafür muss ein Reisender nicht auf die Inseln. Hanga Roa, der Hauptort, ist relativ herabgekommen und die Hotels ebenfalls nicht der Brüller, dafür aber ausgesprochen teuer. Wir hatten nicht den Eindruck, dass das abgezockte Eintrittsgeld vollständig in die Insel reinvestiert wird. Unser Eindruck: Da gibt es politisch noch viel zu tun auf den Inseln.

3.2.2   Französisch-Polynesien

Mit Französisch-Polynesien verbindet man Tahiti, Bora Bora, den Tuamotu Archipel mit den verschiedensten Atollen wie Tikehau, Rangiroa und Fakarava. Jeder passionierte Taucher setzt einen verträumten Blick auf beim Gedanken an diese Inseln und ihre Tauchgründe. Speziell Bora Bora, der Traum jedes Südseereisenden, die Hauptinsel mit dem berühmten Riff herum, die feinen Sandstrände, die türkisblaue Lagune, das warme Meer, die oft tief hängenden Palmen. Herz, was begehrst du mehr?

Das stimmt! Einerseits!
Ein paar Neid-Fotos müssen schon sein, siehe Kapitel 4. Schließlich ist man ja richtig weit geflogen und ganz weit weg von zu Hause.

Andererseits!
Die Hitze, nachts nie unter 30 Grad, tagsüber bis 40 Grad, die Feuchte, gefühlt immer 100 Prozent! Ein Kreislaufgeplagter hat seine Müh und Not. So erging es auch mir. Als chronischer Herzpatient waren diese Temperaturen und die Feuchte ein

täglicher Kampf. Wie oft flüchtete ich in klimatisierte Räume, wenn es mal welche gab. Und ja, auf den Inseln, so werden die weit entfernten Atolle mit geringer Einwohnerzahl lokal genannt, da mangelt es oft auch noch an Trinkwasser. Robinson, so fühlte ich mich selbst auf den einsamen Atollen, musste tatsächlich ein armer Teufel gewesen sein. Aber ich wollte ja dorthin, ich wollte ja dieses Lebensgefühl einmal im Leben durchleben. Carina hatte keine Probleme damit, sie lebte in dieser Klimazone richtig auf.

Hier ein paar Daten zu Französisch Polynesien:

Meeresfläche, die die Inseln umspannt	ca. 4.000.000 km²	
Fläche der Inseln gesamt	ca.	4.000 km²
Einwohner gesamt	ca.	280.000, davon auf Tahiti ca. 2/3

Quelle: Wikipedia, Französisch Polynesien

Kein Schaubild verdeutlicht das so beeindruckend wie eine Bildmontage der Air Tahiti (siehe Kapitel 4, Reisebilder).

Tahiti und Papeete:

Sehnsuchtsort und Zentrum für viele Südseereisende und Ausgangspunkt für die Abenteuerfahrten auf die vielen einsamen Atolle und Inseln nördlich und südlich davon, fast alle im Tropenbereich, also bis zum 23. Breitengrad, südlich.

Papeete ist das Paris Französisch-Polynesiens und das Kraftzentrum der Inseln und der zugehörigen Archipele. Na ja, um auf die vielen einzelnen Inseln zu kommen, muss man nach Papeete, da führt kein Weg daran vorbei, egal ob das der Marquesas-Archipel im Norden oder die Gambier-Inseln im Südosten sind. Es ist halt so wie im Mutterland Frankreich auch, die meisten Flüge führen über Paris. Air Tahiti ist die einzige Fluglinie und hat damit das Flugmonopol.

Okay, mit einem Schiff könnte man auch anreisen, aber wie viele reisen heute mit dem Schiff an? Kreuzfahrer höchstens, aber die steuern auf Papeete zu. Die paar Individualisten, die sich allein über den Pazifik trauen, kann man wahrscheinlich an einer Hand abzählen.

Anhand der Distanzen kann man erahnen, welch seefahrerische Kenntnisse die Ureinwohner Polynesiens haben mussten, denn sie betrieben einen regen Austausch im Norden bis nach Hawaii, im Südwesten bis zu den Cook-Inseln, bis nach Neuseeland und im Osten bis zu den Osterinseln.

Manche Forscher, unter anderem Thor Heyerdahl, stellten die Vermutung an, dass die Besiedelung Polynesiens vom Osten her, also von Südamerika ausging, was aber viele Jahrzehnte lang bestritten wurde. Heyerdal ist selbst auch die unglaubliche Distanz, ca. 7.000 Kilometern mit seinem Expeditionsboot „Kon Tiki" von Callao/Lima, Südamerika, nach Raroia, Tuamotu-Archipel, gesegelt. (Quelle: Wikipedia)

Die meisten Forscher sind nämlich bis heute überzeugt, dass die Besiedelung von Südostasien, also vom Nordwesten ausging. Ganz neue vergleichende Genanalysen jedoch kommen zum Schluss, dass es zumindest persönliche Kontakte zwischen polynesischen und südamerikanischen Völkern gegeben haben muss. Entweder waren die Polynesier in Südamerika und vermischten sich dort oder aber indigene Südamerikaner segelten tatsächlich nach Polynesien. Unglaublich eigentlich: Da segelten diese Völker vor Hunderten von Jahren mit einfachsten Booten tausende Kilometer über den Pazifik!

In Papeete genossen wir das erste Mal mittels Airbnb die Wohngemeinschaft zusammen mit einem wirklich sehr netten Paar. Die Lage des Hauses war atemberaubend, ein unverstellter Blick zur gegenüberliegenden Insel Moorea und dem umschließenden Korallenriff. Die Zimmer hatte ein separates Bad für uns, war sauber und mit einer Klimaanlage ausgestattet; das eingeschlossene Frühstück war vorzüglich. Die Besitzerin ist eine Traiteur, sodass wir abends mit sehr köstlichen Quiches verwöhnt wurden. In einem nahe gelegenen Carrefour bestand die Möglichkeit alles, aber auch wirklich alles, einzukaufen, was der normale Carrefour in Frankreich auch anbietet, sehr guten Wein und Käse inklusive. So lebten wir auf Tahiti wie der sprichwörtliche Gott in Frankreich auf einer Südseeinsel, weil wir das Wohnzimmer und auch die traumhafte Terrasse mitbenutzen durften.

Papeete selbst, also die Innenstadt, ist leider nicht sehr ansehnlich und wirkt etwas vernachlässigt, aber die umliegenden Stadtviertel, die sich teilweise sehr weit nach oben in die Berge ziehen, sind wirklich schmuck; da lässt sichs wohnen.

Eine gut ausgebaute Straße führt um die ganze Insel herum. An einigen Stellen gibt es sehr schöne Badestellen, die kostenfrei benutzbar sind.

Tja, und speziell für Frauen ist Tahiti ein Paradies, gibt es doch Tahiti-Perlen in allen Formen, Größen und Farben. An den Geschäften kommt keine Frau vorbei. Es ist auch wirklich beeindruckend, mit welcher Nonchalance die Verkäuferinnen Perlen zeigen, die einfach so zu Hunderten in Plastikschatullen liegen, über den Wert kann jeder selbst spekulieren.

Tikehau und Fakarava:

Von Papeete gings dann zum Tuamotu-Archipel, zuerst nach Tikehau und anschließend nach Fakarava, zwei einsame Atolle, und dort weiter auf noch einsamere „Motus", so werden die kleinen Inselchen bezeichnet, die zusammen ein Atoll bilden, zwischen innerer Lagune und dem äußeren Meer die offenen Meeresströme.

Diese Atolle sind zweifelsohne reizvoll und pittoresk, sie einmal sehen und erleben zu dürfen, war immer mein stiller Wunsch gewesen. Schon als Kind wollte ich immer in die Welt hinaus und der Schulatlas war eines meiner wichtigsten Lektüren und ich träumte von fernen Ländern und exotischen Regionen. So auch von der Südsee. Jetzt durfte ich diesen für mich heiligen Boden betreten. Ich war überwältigt und freute mich wie ein Kind.

Die Bilder in Kapitel 4 zeigen natürlich meinen Traum oder wie ich mir das Paradies so vorstellte.

Eine stille und azurblaue Lagune umringt von Inselchen, allein auf weiter Flur, kilometerlange einsame Strände, Segeln im lauen Wind und abends dann ein wunderbares Essen aus Meeresfrüchten und köstlichem Weißwein – meine bevorzugte Traube ist Chardonnay, dann kommt lange nichts.

Aber das ist (leider) ein Traum geblieben. Auf den Inseln gibt's wenn überhaupt nur ein paar schlichte Meeresfrüchte und der köstliche Wein muss aus Frankreich importiert werden, ebenso wie das ganze Gemüse, der Reis und die Kartoffeln von weit hergeholt werden müssen. Tja, so ist es dann weitgehend geblieben, einfache Kost aus Dosen und billiger Wein dazu mit der immer wiederkehrenden Bemerkung, dass das Versorgungsschiff leider diesen Monat noch nicht vorbeigekommen sei und daher Notrationen aufgebraucht werden müssten.

Unser Gesamteindruck: Es herrscht Mangelverwaltung pur auf den weit verstreuten Atollen und Inseln.

Auch merkte ich sehr bald, dass die klimatischen Bedingungen nur etwas für Hartgesottene sind, die ein ausgesprochen stabiles Herz-Kreislaufsystem besitzen. Für koronare Herzkranke, wie ich einer bin, war das also nicht gerade das Gelbe vom Ei. Na ja, wir waren ja nur ein paar Tage da und ich überlebte alle Strapazen.

Bora Bora, Raiatea und die Katamarankreuzfahrt:

Endlich auf dem Katamaran angekommen! Die Strapazen auf den Tikehau- und Fakarava-Atollen lagen hinter uns. Wir hatten genug von „Robinsonaden" und freuten uns jetzt so richtig auf eine Kreuzfahrt wie es sich ein jeder wünscht.

Und das war sie auch; der Katamaran, eine Lagoon 620, fast 19 Meter lang, zehn Meter breit, sechs klimatisierte 2er-Kabinen, bot allen Komfort, um bequem die bekannten Inseln abzusegeln. Acht Tage Südsee in Reinkultur, inklusive Vollpension, Tauchen, Paddeln, Schwimmen in türkisblauen Lagunen. Herz, was brauchst du mehr!

Die Kreuzfahrt ist eigentlich kurz erzählt, Abfahrt in Raiatea, dann Bora Bora, Tahaa, Huahine und Ausschiffung wieder in Raiatea, acht Tage reines Vergnügen, Entspannung pur. „So muss Südsee", würde ein jeder sagen.

Danach waren wir noch einen Tag in Raiatea und schauten uns dort Marae Taputapuatea an, den Versammlungsort der Polynesier. Beim Marae Taputapuatea, einst das religiöse Zentrum, trafen sich Polynesier aus allen Siedlungsgebieten wie Hawaii, Osterinseln, Cookinseln und sogar bis nach Neuseeland. Raiatea war damals die Hauptinsel, von der aus ganz Ost-Polynesien regiert wurde.

Maupiti:

Von Raiatea gings weiter auf die Insel Maupiti, auch das „kleine Bora Bora" genannt, weil sie Bora Bora sehr ähnlich ist, aber viel weniger touristisch und in gewisser Weise unentdeckt. Maupiti steht im Schatten der viel bekannteren Insel Bora Bora, sie besitzt wunderbare Lagunen und Strände, ist aber ähnlich einsam und ähnlich gut beziehungsweise schlecht versorgt wie die Atolle im Tuamotu-Archipel. Mangel war auch hier das täglich Brot. Es ist nicht so, dass man hungern im engeren Sinne muss, aber das Nahrungsmittelangebot war schon für unsere Begriffe arg begrenzt und das Thema (Nicht-)Versorgung mit Schiffen spielte auch hier wieder eine große Rolle. Es gibt auf der Insel nur einen Bäcker und will man Brötchen kaufen, muss man sie Tags davor bestellen, sonst gibt's nichts.

Papeete und weiter:

Nach vier Tagen gings zurück nach Papeete und von dort einen Tag später weiter nach Rarotonga.

Hier ist wichtig zu erwähnen, dass die Flugverbindungen von Papeete weg genauso kompliziert sind wie nach Papeete hin, will man nicht von Los Angeles, Hawaii, Tokio oder von Auckland oder Sydney anreisen, sondern ein „Insel-Hopping in der Südsee" betreiben. Innerhalb der Südsee gibt es eigentlich nur zwei Flugrouten von und nach Französisch-Polynesien, davon eine, die vorgenannte Flugroute von den Osterinseln nach Papeete, sowie die andere von Papeete nach Rarotonga, Cook-Inseln. Flüge zu anderen Südseeländern oder -inseln wie Fidschi oder Tonga sind nicht im Programm, sondern müssen umständlich über Drittländer oder -orte wie Auckland, Sydney oder Honolulu organisiert werden. Einen Flug gibt es noch, den nach Noumea, Neukaledonien, allerdings ist auch Neukaledonien ein französisches Überseegebiet.

Beim Bewerten der Flugrouten beschleicht den Reisenden schon das Gefühl, dass die französischen Überseegebiete wohl gerne unter sich bleiben wollen, warum auch immer. Und weil das so ist, flogen wir nolens volens zu den Cook-Inseln. Aber auch da gilt wieder, es gibt nur einen Flug pro Woche und der ist jeweils samstags. Das war der einzige Grund, warum wir nach Rarotonga kamen, wir wollten ja weiter nach Neuseeland.

Alle Südseereisenden, die eine ähnliche Route wie wir wählen wollen, sei dieses Flugroutendilemma vor Augen geführt. Man machte es uns wirklich nicht einfach, einfach so die südliche Halbkugel bereisen zu wollen. Das muss alles von Anfang an im Detail geplant und taggenau gebucht werden, sonst kann man schnell in Reiseunannehmlichkeiten geraten.

Fazit von Französisch-Polynesien:

Bevor ich nun überleite auf die Weiterreise zu den Cookinseln möchte ich hier doch ein Fazit über Französisch-Polynesien ziehen, wir hatten ja wirklich einige Atolle und Inseln bereist.

Französisch-Polynesien ist fraglos ein weiteres „Must-see"-Ziel. Die Verschiedenartigkeit der Inseln oder Inselgruppen fasziniert, schwankt sie doch einerseits zwischen französischeuropäischem Flair auf Tahiti mit Papeete, als „Paris der Südsee" und andererseits teilweise bedrückender Einsamkeit verbunden mit brüllender Stille auf den kleinen Inseln und Atollen. Die mit Händen zu greifende Abwesenheit von Menschen lässt einem Robinson-Crusoe-Leben wirklich sehr nahe kommen.

In Papeete bekommt man alles, europäisches Leben ist bestens möglich, wenn man das nötige Kleingeld besitzt. Papeete ist teuer, will man europäisch leben.

Auf den Inseln ist es jedoch einsam und teuer. Wie Robinson Crusoe zu leben muss man sich leisten können und wollen. Und dabei ist nicht einmal gewährleistet, dass man dann auch eine gute Versorgung hat. Mit der laufenden Versorgung durch Schiffe scheint es wirklich ein Problem zu geben. Für den Luxus Einsamkeit muss man viel in Kauf nehmen und daran leiden nicht nur die (gutzahlenden) Touristen, sondern die Inselbevölkerung ebenso. Die Frage darf gestellt werden, ob das so sein muss. Die Frage muss gestellt werden, ob die Verantwortlichen sich dieses Problems bewusst sind und ob sie bereit sind, das zu ändern.

Der Flugverkehr von und zu den Inseln ist meines Erachtens sehr gut organisiert. Die Maschinen waren meist sehr pünktlich, das Personal freundlich. was braucht man mehr?

Aber wir hatten ja nach den Osterinseln und Französisch-Polynesien noch zum Vergleich ein anderes Südsee-Eisen im Feuer: die Cook-Inseln.

3.2.3 Cook-Inseln

Wir verbrachten nach Maupiti noch eine Nacht bei Agnes in Papeete, bevor wir nach Rarotonga, der Hauptinsel der Cook-Inseln weiterflogen. Der Flug war sehr angenehm, es dauerte halt etwas länger, weil es eine Propellermaschine der Air Tahiti war.

In Avarua, dem Hauptort von Rarotonga, angekommen, hatten wir für drei Tage eine recht komfortable Unterkunft gemietet. Gleich am Flughafen holten wir den Leihwagen ab, um die Insel erkunden zu können. Von nun an gab es Linksverkehr für die weiteren Reisestationen. Rarotonga war ein guter Ort, um sich wieder an den Linksverkehr zu gewöhnen. Ich hatte aber vorher schon einige Erfahrung mit dem „Right-Seat-Driving" gemacht, zweimal in Südafrika und einmal auf meiner Schottlandtour. Rarotonga selbst ist sehr überschaubar, 32 Kilometer und man hat die Insel schon umrundet.

Praktischerweise zahlt man auf den Cook-Inseln mit Neuseelanddollar (NZD). Wir brauchten also unser Bargeld nicht abzuzählen, wir konnten überschüssiges Geld weiter in Neuseeland benutzen.

Rarotonga ist gut versorgt, kann man hier ja neuseeländische Produkte erwerben, und so konnten wir uns auf die saftigen Steaks und Spitzenweine aus Neuseeland eingewöhnen.

Über Geld darf man allerdings nicht sprechen, das muss man haben. Und man muss sich auf englische Essgewohnheiten einstellen, „Battered Fish", „Fish & Chips" sowie Cheddar einerseits, aber gute Steaks andererseits sind die „daily pleasures". Aber es gibt natürlich frischen Fisch, Gott sei Dank.

Von der französischen Küche, wie von Papeete gewohnt, muss man sich leider verabschieden, von Wiener Küche oder italienischer Küche ganz zu schweigen.

Rarotonga ist, soweit man das während eines Kurzaufenthalts beurteilen kann, gut organisiert. Man erhält alles, der tägliche Mangel wie in Französisch-Polynesien findet hier nicht statt. Ein wahrlich großes Plus!

Die Strände sind wirklich zauberhaft und erlauben das gewünschte Südseefeeling.

An einem Sonntag besuchten wir einen lokalen Gottesdienst, und der war absolut beeindruckend. Wir fühlten noch so richtig das, was man Gottes(ehr)furcht nennt, diese tiefe Gläubigkeit, wie sie hier im atheistischen Deutschland kaum noch zu finden ist. Diese Hingabe zu Gott und dem Glauben, gelebt in den Gebeten und den wunderschönen, melodischen polynesischen Liedern. Diese Lieder lassen einem den Mund offen stehen und drücken Tränen in die Augen.

Nach drei Tagen gings weiter nach Auckland, Neuseeland.

Bei der Ankunft in Avarua, Cook-Inseln, etwa Mitte Februar 2020 war „Corona" bereits ein wesentliches Thema in den deutschen Nachrichten. Wir schauten uns ja ARD und ZDF recht regelmäßig jeweils in den Mediatheken an und erfuhren so, dass in Italien bereits viele Tote zu beklagen waren, während in Deutschland noch wenige Fälle auftraten. Wir verfolgten auch diverse Diskussionen zu dem Thema, allerdings doch mit etwas Distanz – wir waren ja auf der anderen Seite des Globus und dazu noch auf einsamen Inseln unterwegs, wo von Ansteckung wirklich keine Rede war.

Und so durften wir nach Avarua völlig problemlos einreisen. Hier war Corona (noch) kein Thema.

3.3   Neuseeland

Wir sahen unserem nächsten Ziel Neuseeland voller Erwartung entgegen. Da wir von der Südsee nun genug gesehen hatten, verkürzten wir noch in Papeete unseren Aufenthalt auf Rarotonga von sieben auf drei Tage zugunsten eines längeren Aufenthalts in Neuseeland. Das kostete uns zwar etwas Geld, war es aber in jedem Fall wert. Neuseeland ist ein wahrlich traumhaftes Land. Da würde ich gerne nochmal hinkommen. Wir fühlten uns in jeder Beziehung sehr wohl.

Und weil das offensichtlich viele genauso sehen, meinte ein Airbnb-„Herbergsvater" mit Schmunzeln, aber doch mit einem ernsten Unterton: „Don't talk too much about New Zealand!" New Zealanders bleiben gerne unter sich. Sie wissen um ihr schönes Land und machen nicht viel Aufhebens darum.

In Auckland war „Corona" zwar bereits ein Thema, aber da wir von den Cook-Inseln kamen und nicht aus gefährdeten Gebieten, war die Einreise problemlos. Das notwendige Visum hatten wir ja bereits vorab in Deutschland besorgt. „Corona" war daher während des gesamten Neuseelandaufenthaltes für uns kein Problem mehr. Es gab auch (noch) keine Beschränkungen innerhalb Neuseelands. Wir bewegten uns glücklicherweise völlig frei im Land.

3.3.1   Nordinsel und Auckland

Da wir ja unseren Aufenthalt auf Rarotonga um vier Tage verkürzt hatten und früher nach Auckland weiterflogen, mussten wir unsere Tour in Neuseeland etwas adaptieren. Wir fuhren auch nach der Landung gleich Richtung Rotorua, dem bekannten Vulkangebiet innerhalb der Nordinsel mit seinen Geysiren und heißen Quellen, um dann wieder zurück nach Norden zur Koromandelküste und weiter für zwei Tage wie geplant nach Auckland zu fahren.

Die Koromandelhalbinsel muss man besuchen, ist sie doch wirklich sehr sehenswert, die Hügel, die Wälder, davon besonders die baumhohen Farne, Relikte aus der Urzeit, die es vorwiegend nur noch dort gibt und die „Hot Springs" im Nordosten. Na ja, fast überall in Neuseeland gibt es „Hot Springs". Es gibt wenige Orte auf der Welt, wo die Erde so aktiv ist wie in Neuseeland, Japan vielleicht.

Neuseeland ist traumhaft schön! Auckland, die Inseln, die sauberen Städtchen, die Infrastruktur, gut ausgebaute Straßennetze. Neuseeland ist ein wirklich lebenswertes Land, (fast) ohne Abstriche! Dazu komme ich gleich.

Auckland ist sehr gepflegt, sauber, organisiert, die Waterfront mit dem Fischmarkt, lecker Fisch mit bestem neuseeländischem Wein! Wir fühlten uns richtig wohl hier. Unseres Erachtens ist Auckland eine der wenigen Großstädte mit sehr hohem Wohlfühlfaktor.

Danach ging's weiter Richtung Südosten nach Napier und Hawke's Bay. Hier besuchten wir das erste Weinanbaugebiet Neuseelands. Drei Tage lang, jeden Tag Besuch von zwei bis vier Weingütern zum „Wine Tasting" inkl. „Seafood" (fangfrisch, liegt ja direkt am Meer!), leider mit dem kleinen Abstrich, um 17 Uhr ist Schluss mit lustig. Irgendwie sind die Engländer für mich als lebensbejahender „Homo Austriacus" spaßbefreite Eigenbrötler, die einem das bisschen Lebensfreude verderben wollen.

Jeder, der gerne ein Glas Wein zwischen den Reben genießen möchte, geht doch bitte nicht um 17 Uhr nach Hause! Da geht's im Buschenschank doch erst richtig los. Was gibt es Schöneres, als den Sonnenuntergang mit Wein und kleinen Häppchen im Weingarten zu genießen? Aber das verstehen die Engländer wohl nicht, wächst in England ja kein Wein und daher haben sie auch keinen Weingarten, wo sie sitzen, philosophieren und dabei still den Wein genießen können!

Der geneigte Leser ahnt schon, worauf ich hinweisen möchte, in Abwandlung des lateinischen Spruchs „Cuius regio, eius religio" zu „Cuius regio, eius coloniae" ist Neuseeland als ehemalige englische Kolonie sehr englisch geprägt. Ich sage bewusst englisch, weil die vorwiegend katholischen Schotten und Iren meines Erachtens viel mehr Lebensfreude entwickeln als die anglikanisch-calvinistischen Engländer.

Es ist wohl so, wie es die Engländer selbst sehen, sie passen nicht zu Europa. Immer nur „Fish & Chips" zusammen mit Ale sind arg einseitig und passen nicht in die kontinentale Esskultur. Leider haben sie diese Kultur in alle ihre Kolonien eingepflanzt, inklusive der Sperrzeit um 17 Uhr! Wirklich traurig! Ich weiß, das klingt ein bisschen voreingenommen und holzschnittartig, aber von England ging wirklich keine kulinarische Revolution aus, stattdessen akzeptierten sie Seeräuber und Hütchenspieler, die Schiffe anderer Länder überfielen mit Duldung der englischen Krone, solange sie nur ihren Tribut an die Krone leisteten. So kann man letztlich auch ein Weltreich aufbauen: auf geduldeter Seeräuberei und laufenden Vertragsbrüchen.

Nun, wir sind im 21. Jahrhundert angekommen und die Karten werden gerade neu gemischt, weswegen ich dieses Thema hier nicht vertiefen möchte.

In Napier fanden wir auch ein wunderbares Airbnb-Appartement mit sehr netten „Herbergseltern", wohl das schönste Airbnb „ever": sauber, geräumig und gut eingerichtet, alle Achtung! Und erst die Lage, direkt am Meer, etwas außerhalb von Napier. Ich will hier keine Werbung für Airbnb machen, ich bekomme ja auch kein Geld dafür, aber „was Recht ist, muss Recht bleiben" würde meine Mutter sagen. Airbnb ist eine echte Alternative zu den üblichen Hotelunterkünften. Und vorneweg: Die Airbnbs in Neuseeland waren im Schnitt die besten!

Napier selbst ist für mich ein verstecktes Kleinod. Nie und nimmer hätte ich vermutet, dass im letzten Winkel der Erde so eine schöne und durchkonstruierte Art-Deco-Kleinstadt existiert. Wirklich sehenswert und lauter Originale! Leider liegt diesem architektonischen Schmankerln eine schlimme Geschichte zugrunde: Im Februar 1931 zerstörte ein katastrophales Erdbeben die Stadt und die umgebenden Örtchen völlig und machte sie praktisch dem Erdboden gleich.

Ein Wiederaufbaukomitee beschloss dann die Stadt im Art-Deco-Stil wieder zu errichten – eine weise Entscheidung!

Nach Napier gings weiter in den Süden nach Wellington, der neuseeländischen Hauptstadt. Wir blieben dort eine Nacht, um am nächsten Tag überzusetzen nach Picton auf die Südinsel. In Wellington war es ziemlich trüb und irgendwie langweilig, allerdings verpassten wir dummerweise das Te-Papa-Museum, ein Grund mehr, nochmals nach Neuseeland zu kommen.

Am nächsten Morgen gaben wir unseren Leihwagen ab, um nach der Überfahrt in Picton einen neuen zu bekommen. Jeder Leihwagenreisende ist davon betroffen: Autos auf der Nordinsel bleiben auf der Nordinsel, Autos auf der Südinsel bleiben auf der Südinsel. Es ist etwas kompliziert, muss man ja den Leihwagen komplett ausräumen und einer anschließenden Inspektion unterziehen, spart aber jede Menge Geld. Für die eigentliche Überfahrt braucht man kein Auto.

3.3.2   Südinsel, Wein und Alpen

Die Überfahrt von Wellington nach Picton war vergleichsweise harmlos, sind es doch große Fährschiffe, die da verkehren. In der Cook-Straße selbst bläst (wohl immer) ein starker Wind, mehr oder minder viel Regen eingeschlossen. Die Einfahrt in die Marlborough Sounds ist sehr beeindruckend, Picton ein nettes Städtchen.

Nach der Übernahme des neuen Leihwagens machten wir noch eine kurze Kaffeepause bei einem Schweizer Kaffeebetreiber – unglaublich, wo sich Schweizer überall niederlassen. Wo kommen all die Schweizer eigentlich her, es gibt doch nur circa acht Millionen davon? Na ja, vielleicht gibt es eine wundersame Vermehrung in den Alpen und ja, die Southern Alps auf der Südinsel tragen ja schon den Namen in sich und wirken auf „Älpler" wohl anziehend. Ich komme selbst aus den (südlichen) Alpen und kann das in gewisser Weise nachvollziehen. Berge ziehen „Älpler" magisch an. Und die

Southern Alps sind ein Traum, die Landschaft, die Berge und diese selten klare Luft. Kein Wunder, dass „Der Herr der Ringe" dort gedreht wurde.

Die nächste Station war ein Airbnb in Blenheim, ein Städtchen mitten im Marlborough-Weinanbaugebiet. Wir verlängerten den Aufenthalt um eine Nacht, um „Wine-Tasting-satt" genießen zu dürfen, wieder zwei bis vier Weingüter pro Tag und Schluss mit lustig um 17 Uhr. Es ist ein Jammer! So eine menschenverachtende Brachialregelung fällt auch nur einem depressiven, calvinistisch geprägten Anglikaner ein, dem beim täglichen Geld zählen Schwielen auf den Fingern entstanden sind und er daher kein Weinglas mehr halten kann.

Abends ging es dann in eine deutsche Bierbrauerei! (Empfehlung des Herbergsvaters), viel mehr ist in Blenheim nicht drin. Soviel zur typischen abendlichen Unterhaltung!

Die Weingüter selbst erinnerten uns an die Gegend um Stellenbosch und Franschhoek, Südafrika, Güter mit einer wirklich großen Ausdehnung, eines hatte sogar ca. 1.600 Hektar! Die Weine in Marlborough sind einfach super, ein Weingut war sogar ausschließlich auf Riesling spezialisiert. Nicht dass ich speziell auf Riesling aus bin, der geneigte Leser weiß ja, ich steh auf Chardonnay, aber es zeigt die Angebotsbreite an Weinen in dieser ausgedehnten Weinlandschaft. Ich trinke natürlich auch andere Rebsorten gerne wie Grauburgunder, Riesling etc., aber Chardonnay bleibt Chardonnay, da fährt die Eisenbahn drüber.

Ostküste, Westbrighton bis Dunedin und Otago-Halbinsel:

Aber leider konnten wir nicht ewig in Marlborough bleiben und so ging es an der Ostküste hinunter bis West-Brighton, vorbei an Christchurch, das wir zum Schluss besuchten, bis hinunter nach Otago mit Dunedin und der Otago-Halbinsel. Wie gesagt, es gibt ordentlich ausgebaute Straßen, sodass ein gutes Vorankommen gewährleistet war.

Je weiter man nach Süden kommt, umso mehr ähnelt die Landschaft unseren Voralpen. Okay, die Landgüter und auch die Rinderherden scheinen größer zu sein, nicht so groß wie in Patagonien, aber doch in großer Stückzahl. Womit wir wieder bei einem meiner Lieblingsthemen sind: dem Steak. Und ja, je weiter man nach Süden kommt, umso mehr wird auch Rotwein angebaut. Diese Kombination überzeugt mich immer.

In Moeraki, kurz vor Dunedin, machten wir einen kleinen Zwischenstopp, um die bizarren Steinkugeln anzusehen. Sie sind sowas von rundgeschliffen und schauen wirklich lustig aus. Was die Natur Erstaunenswertes bereithält.

Abends kamen wir dann in Dunedin an und suchten unsere Bleibe, die etwas außerhalb lag. Dunedin ist jetzt nicht gerade der Brüller, aber es gibt einen sehr sehenswerten Bahnhof, von dem aus man in das schroffe Hinterland fahren kann. Wir machten es nicht, weil wir auf die Otago-Halbinsel rausfahren wollten. Es gibt dort eine Albatros-Brutkolonie, übrigens die einzige, die es in der Nähe von menschlichen Ansiedlungen gibt. Alle anderen sind auf einsamen, schwer zugänglichen Inseln nahe der Antarktis.

Otago, Queenstown und Southern Alps:

Von Dunedin ging's hinein in die Berge, dem Fluss Clyde entlang – der Clyde ist bekannt für seine Goldfunde. Es gibt heute noch die eine oder die andere Goldmine zu besichtigen.

In Lake Hayes Estate nahe Queenstown angekommen, bezogen wir wieder ein sehr schönes Airbnb-Appartement, völlig für uns allein. Lake Hayes Estate liegt recht zentral, ist aber ein ruhiges Örtchen und doch etwas abseits gelegen vom Trubel in Queenstown. In Queenstown geht die Post ab, wie man landläufig sagt. Queenstown ist das „Kitzbühel" der Southern Alps. Für uns war es eine Spur zu hipp und wir waren froh, in Lake Hayes Estate eine Bleibe gefunden zu haben.

Die Landschaft rund um Queenstown ist allerdings wirklich atemberaubend schön. Der Lake Waitapu, eingebettet in die umliegenden Berge, ist ein wirkliches Juwel. Und die Luft – einfach göttlich. Wir haben selten eine so traumhafte und vor allem trockene und reine Luft gespürt wie in dieser Gebirgslandschaft. Unser Herbergsvater darauf angesprochen meinte nur trocken: „Diese Luft haben wir etwa 330 Tage im Jahr". Es ist daher kein Wunder, dass mittlerweile viele Mystery-Filmemacher dem Regisseur von „Der Herr der Ringe" folgten und in dieser Gegend Filme drehten.

Otago und der Pinot Noir:

Inmitten dieser Gebirgsgegend wächst auch ein ausgezeichneter Pino Noir und der Leser ahnt schon, dass wir uns auch aus diesem Grund hier sehr wohl fühlten. Wir besuchten mehrere Weingüter und genossen die „Wine-Tastings". Die Weingüter selbst sind recht klein und deswegen gibt es kaum Weine aus Otago, die in Übersee bezogen werden können. Der komplette Wein wird in Otago selbst getrunken – allerdings immer unter der „17-Uhr-Regel". Der Herrgott hat gewusst, warum er die anglikanisch/calvinistische Glaubensrichtung zuließ, Otago wäre sonst sicherlich ein nicht aushaltbares Paradies auf Erden. Man muss sich vor Augen führen: eine traumhafte Weingegend umgeben von einer noch traumhafteren Filmkulisse (und das in Realität!). So viel Genuss auf einem Fleck würde die Menschheit nicht verkraften, da müssen ein paar negative Punkte her.

Lake Wanaka, Lake Pukaki, Lake Tekapo und Christchurch:

Queenstown und Umgebung ist ja nur ein Teil der Southern Alps. Egal, ob es das Gebiet rund um den Lake Wanaka ist oder Lake Tekapo ist, diese Region der Erde ist wahrlich von herausragender Schönheit und lässt einen nur noch staunen und in Ehrfurcht erstarren.

Fahrten über die „Crown Range Road" oder weiter die „Primary Road 8" und die „Inner Scenic Route" stehen stellvertretend für die ganze Südinsel; sie sind wahre Natur-Schmankerl und lassen einen immer wieder anhalten, nur still genießen oder Fotos schießen. Man sollte, nein, man *muss* sich Zeit nehmen für diese Touren.

Ich könnte jetzt Stunden über diesen Landstrich schwärmen, aber für weitere Detailinformationen gibt es erstens das Internet, zweitens viele Reiseführer und drittens rate ich schnellstmöglich ein Ticket nach Neuseeland zu lösen, um sich die Landschaft selbst reinzuziehen. Niemand wird enttäuscht sein.

Christchurch:

In Christchurch angekommen, verbrachten wir zwei Nächte bei einem sehr freundlichen Airbnb-Herbergsvater, der uns gute Tipps rund um Christchurch gab und die wir, soweit wir Zeit hatten, auch besuchten. Sehr schön sind der viktorianische Park im Zentrum und die teils wiederaufgebaute Innenstadt. Christchurch wurde ja im Jahr 2011 fast vollständig zerstört, inklusive der Kathedrale. Leider dauert der Wiederaufbau und so wurde zwischenzeitlich die „Cardboard-Church" errichtet, die während der Rekonstruktion der alten für Gottesdienste zur Verfügung steht. Diese ist meines Erachtens sehr schlicht, erfüllt aber ihren Zweck. Sie soll ja wieder abgerissen werden, sobald die alte Kathedrale wieder restauriert ist.

Von Christchurch gings dann am 7. März 2020 weiter nach Sydney, Australien. Corona war jetzt schon ein „großes Thema", aber immer noch in weiter Ferne, das dräuende Wetterleuchten deutete schon das künftige Ausmaß an. Wir waren aber auf der anderen Seite der Welt, weit weg von Europa, wo ja schon das Virus in Italien, Frankreich und Spanien wütete und bereits eine breite Spur des Todes durch die Länder zog.

Fazit zu Neuseeland:

Neuseeland – in der Tat ein Traumziel! Wir beide waren einhellig der Meinung, dass dieses Land Platz 1 im Ranking verdient, sofern man überhaupt eine Reihung vornehmen möchte.

Das Land hat alles, fast alles, was Menschen zu Ihrem Glück brauchen, ein wunderschönes, abwechslungsreiches Land, Strände, Berge, Seen, ein gut verträgliches Klima und ja super Weine sowie exzellente Steaks und Schafsfleisch!

Die Infrastruktur, das Wohnen ist auf höchstem Niveau, der Lebensstandard, die Nahrungsversorgung ebenso. Die wenigen Einwohner verlieren sich im Land, es gibt viel Platz für alle.

Allerdings muss ich etwas Wasser in den Wein gießen, die (vorwiegend) englische Küche ist halt so, wie sie für einen Kontinentaleuropäer ist, der die Wiener Küche oder die italienische Küche mag: Sie ist schon eine kulinarische Verengung. Das wirklich sehr gute Weinangebot passt nicht zu „Battered Fish" oder „Fish & Chips", sehr schade.

3.4 Australien

Der Flug von Christchurch nach Sydney mit Air New Zealand war angenehm.

Am Flughafen in Sydney gelandet, war Corona bereits ein großes Thema, aber Gott sei Dank nicht für uns, da wir aus einem noch ungefährdeten Land eingereist waren. Für Passagiere aus Asien, speziell aus China gab es schon so etwas wie eine Einreisequarantäne.

Vorweg gesagt, während des Australienabschnitts traf uns aber dann doch die ganze Wucht der Gegenmaßnahmen, bis wir letztlich in Melbourne strandeten, weil unsere Flüge seitens Emirates ohne Flugalternativen einfach storniert wurden. Kurz liebäugelten wir damit, die „Coronawelle" in Australien auszusitzen, bis sie vorüber wäre, aber rückblickend sind wir froh, doch vorzeitig mittels Unterstützung der deutschen Bundesregierung nach Hause gekommen zu sein.

3.4.1 Sydney bis Brisbane

Wir holten noch am Flughafen unseren vorgebuchten Leihwagen ab und fuhren direkt zu unserem Domizil nach Maroubra, einem Vorort von Sydney direkt am Meer gelegen.

Mit dem Leihwagen in Sydney hatten wir kein Glück, hatte uns der PKW-Verleiher der East Coast Car Rental doch versucht, uns zu „schnalzen" (österreichisch für „hinters Licht führen"). Die Vertreterin am Verkauf wollte uns doch tatsächlich die bereits gebuchte Vollkaskoversicherung sowie die Einweggebühr nochmals berechnen, obwohl beide Kostenanteile bereits wortwörtlich im Gutschein erwähnt waren. Soviel Dreistigkeit ist mir in meinem Leben selten vorgekommen. Weil wir aber ihre Vorschläge nicht akzeptierten, gab sie uns einen alten Gaul, wie sich während der Fahrt später rausstellte.

In diesem Zusammenhang kann ich jedem Leser nur raten, buchen Sie die Leihwagen in der EU, dann haben Sie EU-Recht, wenn es Probleme geben sollte.

Wir hatten also von Anfang an in Australien schon das Gefühl, dass Australien nicht das Niveau von Neuseeland hat und dieses Gefühl ließ uns nicht mehr los. Alles kam uns etwas unpräziser vor, etwas schlampiger, etwas mit mehr Schmäh behaftet, etwas trickreicher als in Neuseeland.

Das zeigte sich auch bei unserem ersten Airbnb in Maroubra. Diese „Lovely Guest Suite" (O-Ton bei Airbnb) war zum Beispiel keine Suite, sondern ein ausgesprochen kleiner und abgewohnter Schlafraum. Von „Suite" von hinten bis vorne keine Spur, da der Wohnbereich der „Suite" zu einem öffentlichen Malerstudio umfunktioniert wurde und uns daher nicht zur Verfügung stand.

Maroubra an sich liegt sehr idyllisch am Meer, scheint aber nicht zu den Top-Lagen von Sydney zu zählen. Viele Häuser machten einen abgewohnten Eindruck, für Investitionen scheint nicht das Geld vorhanden zu sein. Ganz anders der Badeort Coogee, wo besonders viele sehr schöne und wertige Häuser standen. Coogee macht einen hippen Eindruck und wurde später im Rahmen von Corona bekannt, der Polizeichef von Sydney löste eine Strandparty auf, die dort tausende Jugendliche spontan feierten, ohne Rücksicht auf Abstandsregeln – in Corona-Zeiten ein No-Go.

Na ja, Sydney hat ein paar bekannte Ecken, die Oper im Hafen und die Hafenbrücke. Das ganze Viertel um den Hafen ist recht nett sowie der sehr schöne „Royal Botanic Garden". Überhaupt, das muss man den Engländern lassen, die Parks sind generell sehr schön, so auch hier in Sydney.

Ein Abstecher nach Süden war nicht möglich, da dort, während unseres Aufenthalts, noch große Waldbrände das Reisen erschwerte oder gar unmöglich machte. Also fuhren wir sofort gegen Norden Richtung Brisbane.

Unser nächstes Ziel war das Hunter Valley, Weinkennern sicherlich sofort ein Begriff, aber nach unseren Erfahrungen mit den neuseeländischen Weinregionen nicht wirklich vergleichbar. Ich meine nicht die Weine an sich, die durchaus trinkbar waren, sondern die Art und Weise, wie die Weingüter angelegt waren. Es fehlte diese Präzision, dieses Gepflegte gegenüber den neuseeländischen Weingütern. Es fehlte die Liebe zum Detail, es wirkte alles kommerzieller, es war gefühlt viel stärker ökonomisch orientiert. Möglicherweise bin ich im Unrecht, aber so war (und ist) unser Eindruck.

Im Huntervalley sahen wir auch die ersten frei laufenden Kängurus, etwas weit entfernt, aber immerhin. Später dann allerdings so nah, dass sie uns (fast) aus der Hand fraßen.

Weiter gings dann über Port Macquarie, Sawtell, Coffs Harbour, Ballina, Byron Bay, Goldcoast nach Brisbane. Von Sydney, New South Wales (NSW), bis nach Brisbane, Queensland (QL), sind es fast 1.000 Kilometer, aber dazwischen gibt es nur eine relativ dünne Besiedelung. Von den circa 7,5 Millionen Einwohnern in NSW leben allein im Großraum Sydney rund 5,5 Millionen Menschen. Die restliche Bevölkerung teilt sich auf die Küsten südlich und nördlich von Sydney auf. Im Inland gibt es praktisch kaum Besiedelung. Es gibt daher auch keine, wirklich nennenswerte Städte auf dem Weg nach Norden, vielleicht ein paar Städtchen, die sich entlang der Küste ansiedeln.

Das Gros der Küste ist dafür über weite Strecken als nicht bebaubare Naturschutzgebiete ausgewiesen, einem einsamen und kilometerlangen Küstenstreifen folgt ein noch einsamerer und längerer Küstenstreifen. Man kann stundenlange Strandspaziergänge machen, ohne Menschen zu sehen, außer vielleicht an den Städtchen wie Port Macquarie oder Coffs Harbour, wo ein paar Surfer die Wellen reiten.

Doch so eine Einsamkeit hat auch was.

Wunderschön sind dagegen die einsam an Felsspitzen positionierten Leuchttürme entlang der gesamten Küste. Sie wurden von der Mitte bis Ende des 19. Jahrhunderts errichtet, weil es an der Küste zwischen Brisbane und Sydney viele Schiffsunfälle gegeben hat. Ein bekannter Architekt war James Barnet, der mehrere Leuchttürme mit einer ähnlichen Architektur plante, sehr funktional und schlicht, aber deshalb besonders sehenswert.

Einen Besuch wert ist das „Roto House" in der Stadt Port Macquarie wegen ihrer Koala-Krankenstation. In dieser Station werden verwundete oder gestrandete Koalas versorgt und gegebenenfalls wieder für die Wildnis vorbereitet. Diese putzigen Tierchen kann man da aus nächster Nähe beobachten, was draußen in der Wildnis nicht oder nur sehr schwer möglich ist.

Ein anderer sehenswerter Ort ist der Moonee Beach Nature Reserve in der Nähe von Emerald Beach bei Coffs Harbour.

Hier sind Kängurus in freier Wildbahn heimisch, direkt an einem einsamen und sehenswerten Küstenabschnitt, und man kann sie aus nächster Nähe bestaunen, da sie sich wohl an die Besucher gewöhnt haben. Einen gewissen Abstand sollte man aber schon einhalten, sonst werden sie aggressiv.

Ballina

Von Sydney bis nach Ballina, einem Städtchen ca. 180 km südlich von Brisbane, kamen wir alles in Allem noch recht gut voran. Wir fanden in Ballina ein sehr nettes und außergewöhnliches Hotel, das „Manor Boutique Hotel", das uns schon von Anfang an gut gefiel. Es war ursprünglich als Mädchenpensionat im Jahr 1925 erbaut worden und konnte seinen viktorianischen Baustil über all die Jahre beibehalten. Später wurde es zu einem Hotel umfunktioniert und atmet deshalb ein bisschen australische Geschichte; im Foyer sind typische Schuluniformen der Schülerinnen und Lehrerinnen zu sehen, inkl. einem Schülerpult mit Rohrstock! Man kann direkt nachempfinden, wie sich „Zucht und Ordnung" anfühlt, wenn sie verletzt wird. Wir blieben ein knappe Woche dort und machten von Ballina aus Sternfahrten zu diversen Sehenswürdigkeiten wie Byron Bay, dem östlichsten Punkt Australiens, oder zum Fingal Head und die Gold Coast und einen Tag lang fuhren wir in die Berge westlich von Ballina. Leider konnten wir die Berge nicht so durchstreifen wie wir uns das gewünscht hätten, weil die Straßen im Hinterland sehr schnell Off-Road-Verhältnisse annehmen und unser Leihwagen, öfters „Mucken machte".

Byron Bay ist deshalb erwähnenswert, weil am östlichsten Punkt ein ca. 100 m hoher Felsen in das Meer ragt, mit einem wirklich wunderhübschen Leuchtturm drauf. Er hat etwas Märchenhaftes und sofort fällt Einem das Märchen von Rapunzel ein, das das Haar herunterlassen soll.

Sehr interessant sind auch die Felsformationen am Fingal Head. Basaltformationen aus vulkanischer Aktivität in der Vorzeit, die sich in typischen langen, fingerartigen Hexagonalstrukturen abkühlten, geologisch sehr anschaulich; sehr ähnliche Strukturen befinden sich aber auch auf Staffa vor Schottland im Atlantik, dafür muss also keiner extra nach Australien.

An der Gold Coast und dem Surfers Paradise gibt es Hotel-burgen und hässliche Hochhäuser direkt an der Küste, aber dafür leider in einer wirklich extremen Ausprägung. Die Gold-küste, zusammen mit dem Surfers Paradise wirkt wie ein lieblos in Beton gegossener Gold-Claim, daher wohl auch der Name.

Ballina wird uns bedauerlicherweise in zweifacher Hinsicht gut in Erinnerung bleiben. Es war aber auch das einzige Mal, dass wir so über den Tisch gezogen wurden.

Wie eingangs erwähnt erhielten wir einen alten Gaul als Leihwagen zur Verfügung gestellt. Dieser ließ uns nun in Ballina gleich zweimal im Stich, einmal wegen mangelndem Motoröl, das uns beinahe einen „Verreiber" des Motors beschert hätte und einmal wegen einer kaputten Batterie. Die

Damen und Herren von East Coast Car Rental müssen für diese Verantwortungslosigkeit extra erwähnt werden. Sowas geht gar nicht und sollte eine Warnung an alle geneigten Leser sein.

Zweitens erlebten wir in Ballina hautnah die immer stringenter werdenden Beschränkungen in Australien durch die sich ausbreitende Corona-Epidemie. Innerhalb von nicht einmal einer Woche durchlebten wir alle Phasen der Beschränkungen bis zum totalen Shutdown. Gott sei Dank hatten wir es nicht mehr weit bis Brisbane, um nicht unseren weiteren Flug nach Melbourne zu verpassen.

Essen und Trinken in Australien

Während unserer Reise in Australien sind wir draufgekommen, dass es für Touristen durchaus interessante Restaurant-alternativen gibt.

Ich glaube, dass es allgemein nicht so bekannt ist, dass die, meist wunderbar gelegenen Golfplätze keine abgesperrten Zonen sind, sondern allgemein zugänglich. Es kann daher jeder an den schönen Golfplätzen essen, und das zu durchaus akzeptablen Preisen, eben auch als Nichtmitglied. Das gilt übrigens meines Wissens weltweit. Als nicht aktiver Golfer wurde ich noch nie von einem Golfrestaurant abgewiesen. Auf jeden Fall haben wir sowohl in den USA, in Südafrika, in Neuseeland und in jetzt in Australien immer für uns offene Golfrestaurants gefunden. Praktischerweise sind die Golfrestaurants auch täglich geöffnet und man kann (fast) zu jeder Zeit in ausgesprochen reizvoller Umgebung zukehren.

Zweitens, und das ist spezifisch nur für Australien, gibt es die sogenannten RSL-Clubs (RSL steht für „Returned and Services League"), eine Organisation, die sich um ehemalige Angehörige des australischen Militärs kümmert, sozusagen Clubs für Ex-Kräfte eine günstige Versorgungs- und Unterhaltungsalternative. Diese RSL-Clubs sind praktischerweise auch in kleineren Städtchen wie zum Beispiel Sawtell oder Ballina zu finden und gewähren auch Einlass für zivile Personen, und auch für Ausländer wie wir. Das fanden wir wirklich spektakulär, weil die Essensauswahl recht breit und gut war. In den Clubs muss jeder sein Essen abholen wie in einer Kantine, aber was solls: Essen gut, Trinken gut (sehr gute Weinkarte übrigens) und obendrein durchaus an sehr schön gelegenen Plätzen! RSL-Clubs wären also durchaus eine Alternative bei zukünftigen Reisen in Australien.

Reisen unter Coronabedingungen

Während der ganzen Fahrt in Australien begleitete uns Corona schon in mehr oder weniger starker Ausprägung. Wir konnten verfolgen, wie die australische Regierung immer strengere Maßnahmen setzte, um der Corona-Pandemie entgegenzuwirken, was dazu führte, dass es für uns zum Beispiel immer schwieriger wurde, öffentliche Restaurants zu finden, bis wir letztendlich tatsächlich auf der Straße essen mussten. „To go" konnten wir sprichwörtlich nehmen, was natürlich auf längere Sicht nicht vergnügungssteuerpflichtig ist.

Reisen unter Corona-Bedingungen wurde, an oben anknüpfend, also immer unbarmherziger, sodass wir die oben erwähnten kulinarischen Ausweichmöglichkeiten in immer geringerem Umfang nutzen konnten. Wir konnten, gerade in Ballina weilend, zusehen, wie die Restaurants von einem Tag auf den anderen mit immer neueren Auflagen konfrontiert wurden, die das Essen und Trinken beschwerlicher machten, bis wir letztlich vor komplett geschlossenen Restaurants standen.

Der Hotelbesitzer in Ballina informierte uns laufend über die sich täglich ändernden Bestimmungen und Einschränkungen und empfahl uns vorzeitig nach Brisbane aufzubrechen, um die notwendigen Flüge nach Melbourne zu erwischen; und dem Rat folgten wir; am 24. März brachen wir vorzeitig nach Brisbane auf und fuhren dort direkt zum Flughafen, es herrschte bereits eine gähnende Leere, wir sahen, dass viele Flüge bereits storniert waren. Eigentlich sollten wir erst am 27.

März fliegen, aber das Bodenpersonal empfahl uns auf den 25. März nach vorne umzubuchen, weil wohl die Regierung auch die inneraustralischen Flüge sukzessive stoppte.

Am nächsten Morgen, nach einem verkürzten Aufenthalt in Brisbane, gaben wir unseren Leihwagen am Flughafen ab und checkten zu unserem Flug nach Melbourne ein. Und tatsächlich war unser Flug der einzige an diesem Tag, wir sind hier nochmals mit einem blauen Auge davongekommen. Von Brisbane selbst sahen wir nichts, es war keine Zeit mehr, die Stadt anzusehen. Es wirkte alles etwas überstürzt, aber wir hatten keine Wahl.

Das Personal von Emirates am Flughafen von Brisbane war sehr unfreundlich und überhaupt nicht kooperativ. Wir wollten wissen, wie es um unsere weiteren Flüge von Melbourne raus weitergehen soll. Sie teilten uns lapidar mit, dass Emirates alle Flüge storniert hätte und sie nichts wüssten. Wir fanden das ausgesprochen beschämend, von einer so renommierten Fluggesellschaft so „abgeschasselt" (österreichisch für abgewimmelt) zu werden. Na ja, wir waren froh, dass wir wenigstens weiter nach Melbourne fliegen konnten, um von dort aus, unser Glück zu versuchen. Die eigentlich gebuchten Flüge nach Südafrika waren zu dem Zeitpunkt soundso schon Schall und Rauch. Wir hatten auch schon im Vorfeld vorsorglich alle vorgebuchten Hotels und Leihwagen in Durban storniert, sodass wir da keine finanziellen Einbußen erleben mussten.

3.4.2   Melbourne und Great Ocean Road

In Melbourne angekommen fuhren wir zum Hotel Hyatt in der Nähe des Flughafens. Glücklicherweise gab es noch keine Restriktionen am Flughafen, die uns aufhielten. Wir holten das Gepäck am Flughafen ab und gut war es. Mit dem gebuchten Shuttle ging's zum Hotel. Allerdings herrschte dort bereits volle „Corona-Atmosphäre": die Eingangshalle war gespenstisch leer, wie überhaupt das riesige Hotel mit den vielen Stockwerken und sicherlich mehreren hundert Zimmern wie ein fluchtartig verlassenes Relikt aus guten Geschäftszeiten wirkte. Das Personal an der Rezeption darüber gefragt, war es recht offen und sagte, dass vom ganzen Hotel nur ein Stockwerk belegt sei und davon auch gerade mal sechs Zimmer („twelve guests!"). Aber es gab trotzdem noch Abendessen und Frühstück auf Bestellung mit persönlicher Abholung in der Lobby und Essen auf dem Zimmer. Uns war sofort klar, dass die Kosten für den noch vorhandenen Hotelbetrieb überbordend sein müssten und dass das Hotel sicherlich kurzfristig komplett geschlossen werden wird.

Wir mussten uns also darauf einstellen, uns wieder eine neue Bleibe zu suchen. Wir wussten aber auch nicht wirklich, wie es mit uns weitergehen soll. Der ehemals kurzfristig aufgekeimte Gedankenblitz, die Corona-Welle in Australien auszusitzen, war schnell ausgeblitzt, sahen wir doch die Schwierigkeiten, die entstehen können, wenn man kein Einwohner oder Resident des Landes ist, sondern Ausländer.

Die wenigsten Reisenden haben eine eigene Bleibe, sie sind also auf Mietunterkünfte angewiesen, das kostet einerseits extra Mietkosten, was bei einem längeren Aufenthalt durchaus ins Kontor schlagen kann und andererseits auch den guten Willen von Vermietern. Viel schwieriger wiegt aber die behördliche Seite des Unterfangens, weil ein Ausländer in der Regel nur zeitlich begrenzt, meist für ca. drei Monate, ein Einreisevisum für ein Land erhält und Verlängerungen oft komplizierter Behördenwege bedürfen. Das gilt des Weiteren auch für diverse Versicherungen wie Auslands- oder Unfallkrankenschutz oder für Krankenrücktransporte, die ja generell auch einer zeitlichen Befristung unterliegen. Jeder, der schon mal in einer ähnlichen Situation war, wird verstehen, was ich damit meine: Es wird nicht einfacher.

Ermutigt durch Informationen im deutschen Fernsehen beschlossen wir, mit der deutschen Botschaft in Canberra Kontakt aufzunehmen, hatten wir doch im Fernsehen erfahren, dass die Bundesrepublik Deutschland ein umfangreiches Rückkehrprogramm für Deutsche sowie deren Angehörige aus dem Ausland implementiert hatte. Es dauerte auch wirklich nicht lange und wir erhielten eine freundliche Antwort mit der Bitte, uns auch selbst umzusehen, das heißt, nach eigenen Rückkehrmöglichkeiten zu suchen, aber auch auf weitere Instruktionen zu warten.

Mit dieser doch recht frohen Botschaft in der Tasche nutzten wir die Zeit, mieteten uns einen Leihwagen und schauten uns Melbourne an, um in weiterer Folge noch unseren letzten Reiseabschnitt in Australien, die Great Ocean Road, zu besichtigen.

Melbourne schien uns eine sehr aufgeräumte Stadt zu sein, gefühlt organisierter als Sydney, aber da tun wir Sydney wahrscheinlich unrecht. Sehr sehenswert ist das Viertel St Kilda, das ältere Melbourne, mit den schönen und originalen viktorianisch geprägten Wohnhäusern, dessen Straßenzüge bis hinunter zum Melbourner Hafen führen. Das Viertel scheint sehr wohnenswert zu sein.

Des Weiteren waren da die vielen und großzügig angelegten Parks. Das Verweilen auf den grünen Wiesen, unter den vielen schattenspendenden Bäumen, ist schon ein Genuss per se. Dieses Kulturgut Parklandschaft haben die Engländer auch in den ehemaligen Kolonien implementiert, eine der wenigen weisen Mitbringsel.

In den Fitzroy Gardens steht auch das originale Haus von Thomas Cook, wobei Haus eher übertrieben ist, eher ein Häuschen mit putzigem Garten drum herum, sehr englisch. Zur Erinnerung, Thomas Cook war der Erfinder der Pauschalreisen und des Massentourismus und wurde in Melbourne geboren. Später wanderte er nach England aus. Die im Jahr 2019 insolvent gegangene Thomas Cook Group plc geht auf seine Gründung zurück.

Danach besuchten wir noch Williamstown auf der anderen Seite der Bucht: sehr schön, sehr englisch auch mit eindrucksvollem Blick über die Bucht nach Melbourne.

Tags darauf ging's auf die „Great Ocean Road"-Tour. Vorneweg, es hat sich wirklich gelohnt, wenn auch das eine oder andere Ereignis den Genuss etwas schmälerte. Die Landschaft entlang der Great-Ocean-Küstenstraße ist wirklich ein Muss für jeden Australienbesucher. Die kantige Küste mit Ihren einzigartigen singulären Felsspitzen in der Brandung ist atemberaubend und sollte man gesehen haben.

Die ganze Fahrt stand bereits vollständig unter dem Damoklesschwert der Corona-Pandemie. Obwohl die Great-Ocean-Küste normalerweise viele Millionen Besucher pro Jahr begeistert und Hotspots wie die „Twelve Apostles" Kassenmagnete sind, waren wir über weite Strecken völlig alleine unterwegs. Wir konnten auch kaum noch Unterkünfte finden, weil die staatlichen Stellen das Reisen zwar nicht explizit verboten, aber durch gezielte Einschränkungen das Reisen uninteressant machten. So waren leider Schmankerln wie der Cape-Otway-Leuchtturm oder die „Twelve Apostles"-Felsformation gesperrt und konnten nicht besichtigt werden.

Aber wir konnten dafür so traumhafte Plätze wie „The Grotto" oder „London Bridge" oder „Loch Ard Gorge" völlig allein ansehen, oder besser gesagt, bewundern. Niemand störte uns, niemandem standen wir wegen eines Fotos im Weg und niemand lief in unsere Kamera. Ja, es stimmt, jedes Ding hat zwei Seiten. In diesen Momenten fühlten wir uns ein bisschen wie kleine Gewinner in einer schlimmen Katastrophe.

Noch von unterwegs aus buchten wir ein sehr schönes Appartement über Airbnb im neuen Hafenviertel von Melbourne und nach drei Tagen fuhren wir dorthin zurück, um dem weiteren Geschehen entgegenzublicken. Mit den Besitzern konnten wir einen soweit ordentlichen Deal machen, nämlich dass wir das Appartement auf unbestimmte Zeit übernehmen konnten. Wir wussten ja nicht, für wie lange wir in Melbourne würden ausharren müssen.

Obwohl wir gestrandet waren, waren wir sehr froh, in einer Weltstadt wie Melbourne gestrandet zu sein, in einer Stadt und in einem sicheren Land, das ein stabiles und funktionierendes

Staatssystem sowie ein hervorragendes Gesundheitssystem hat, auf das wir im Notfall zurückgreifen konnten. Viele Deutsche, die woanders gestrandet waren, hatten wohl nicht dieses Glück im Unglück und mussten teils erbärmliche Umstände in Kauf nehmen.

Das Appartement war tatsächlich sehr ordentlich, Wohnküche, separates Schlafzimmer, Bad und WC und sogar einem Tiefgaragen-PKW-Stellplatz für unseren Leihwagen. Mehr brauchten wir wirklich nicht „zum Überwintern". Wir kannten das Hafenviertel bereits von unserer vorherigen Tour durch Melbourne und wussten, was uns da erwarten würde. Es ist ein sehr modernes Viertel, aber ordentlich und hat alles, was ein sich selbst versorgender Bürger so braucht in nächster Nähe, Einkaufszentren inklusive. In Australien und speziell in Melbourne, der Millionenstadt, hat man Zugriff auf die gesamte Bandbreite an ausgezeichneten Lebensmitteln, wie zum Beispiel frischen Fisch, frisches und schmackhaftes Fleisch, frische Gemüse und Früchte. Es mangelt wahrlich an nichts.

Auch guten Wein gibt's in Australien. Aber da die Restaurants geschlossen waren, kochten wir selbst und aßen und tranken im Appartement.

3.5   Frühzeitiger Abbruch

Also wir waren auf eine längere „Wartephase" vorbereitet und hatten uns schon häuslich eingerichtet, da kam am 30. März 2020 folgende (Mail-)Botschaft vom Himmel …

Liebe Reisende,

Sie haben sich für das Rückholprogramm der Bundesregierung in Australien auf rueckholprogramm.de registriert. Die Datenerfassung zur Bedarfsabfrage ist nun abgeschlossen.

und weiter….

Wenn Sie also zu o.g. Personengruppen gehören und keine Flugbuchung haben, müssen Sie jetzt auf jeden Fall Ihre Angaben auf www.rueckholprogramm.de aktualisieren:

Tun Sie dies bitte bis spätestens 31. März 2020.

Ich glaube, so schnell hatten wir noch nie eine Mail beantwortet. Manchmal im Leben, aber nicht oft, darf man das Glück fühlen, wenn Engel einen beschützen …

Am 1. April 2020 erhielten wir die folgende Info von der Deutschen Botschaft in Canberra. Sie war definitiv kein Aprilscherz!

Sehr geehrte Reisende,

Sie haben in www.rueckholprogramm.de Ihre Daten aktualisiert und damit Ihr Interesse für einen Rückholflug für sich und Ihre Familie von Melbourne nach Frankfurt bestätigt.

Wir freuen uns, Ihnen mitzuteilen, dass auf diesem Flug für Sie/Ihre Familie Plätze vorgesehen sind.

Dieser Flug soll am 04.04.2020 um 16:25 Uhr stattfinden *(Flug DE8897)*

So schön kann eine frohe Botschaft vom Himmel klingen! Und ja, das war uns wirklich ein spontanes Glas Sekt wert!

Von da an gings dann ganz schnell, aber befreit vom Rückreisedruck und noch freien Tagen, machten wir ein paar Ausflüge in die Umgebung von Melbourne wie zum Beispiel zum Mount Dandenong mit sehr schönem Ausblick über Melbourne und in das Yarra-Valley, ein berühmtes Weinanbaugebiet in der Nähe von Melbourne. Leider war ja alles wegen Corona geschlossen und so konnten wir nur mal durchfahren, ohne die „Wine Tastings" auszuprobieren.

Am 4. April 2020 übergaben wir die Wohnung wieder an den Besitzer, fuhren zum Flughafen, gaben dort unseren Leihwagen zurück und reihten uns in die Schlange der Reisenden ein. Ansonsten war der sehr große, internationale Flughafen praktisch leer. Es gab an diesem Tag vielleicht neun oder zehn Flüge, da können sich nicht viele Menschen aufhalten.

Vor Ort waren auch mehrere deutschsprechende Personen vom deutschen Generalkonsulat in Melbourne. Es wurde auch wirklich an alles gedacht, deutsche Gründlichkeit eben, da wird nichts dem Zufall überlassen. Kompliment.

Das ganze Prozedere ging reibungslos vonstatten. Außergewöhnlich waren die handgeschriebenen Bordkarten, aber das erklärte sich ganz einfach: Der Flug wurde im Rahmen des Rückholprogramms von Condor seitens der deutschen Bundesregierung durchgeführt. Da Condor aber normalerweise nicht bis nach Melbourne fliegt, war Condor nicht im lokalen Computersystem, also handschriftlich.

In Corona-Zeiten muss man flexibel sein!

Der Flug ging etwas verspätet ab und wir waren, nach circa 24 Stunden am 5. April 2020 morgens wieder glücklich, aber kaputt in Frankfurt gelandet, davon etwa 23 Stunden reine Flugzeit plus einer Stunde Stopp in Phuket – nur zum Auftanken, kein Fluggast durfte das Flugzeug verlassen, er könnte ja jemanden anstecken!

Es war ein Flug der anderen Art, aber mit Thrombosestrümpfen und einer großen Portion Gelassenheit zu überstehen. Letztlich waren wir außerordentlich glücklich, das ganze Tohuwabohu der letzten Wochen überstanden zu haben und wieder gesund zu Hause gelandet zu sein.

4.0. REISEBILDER

Reisebeginn und Südamerika:

Unser Talisman, der
Reisewichtel

Die Verspätung wird schon angedeutet.

Blick vom Corcovado
schon sehr beeindruckend, der
Zuckerhut!

Der „Erlöser"
Wo er wohl war, als Bolsonaro an die
Macht kam?

Der „Dreierpack" im Vergleich

Iguazu (Rio Iguazu,
Brasilien/Argentinien)
Postkartenherz, was willst Du mehr!

Niagara (St. Lorenz-River,
USA/Canada)

Victoria (Sambesi,
Zimbabwe/Sambia)

Vulkan Osorno mit Lago LLanquihue,
von Puerto Varas aus gesehen

Glückliche Kühe im
„Allgäu" von Chile

Straße in Chile (Grenze Cerro Castillo)

„Straße" in Argentinien

Die „endlose" Weite Patagoniens

Der Perito-Moreno-Gletscher, vorne im See ein Touristenschiff, man erahnt seine
Monumentalität!

69

Die „Torres", etwas in den Wolken verhüllt

Wanderung zu den „Cuernos"

Zahme Schopfkarakaras

Guanacos lassen sich nicht stören.

Südsee:

Osterinsel:

Tongariki is a MUST

Einzigartig diese
Steinmetzkunst!

Französisch-Polynesien

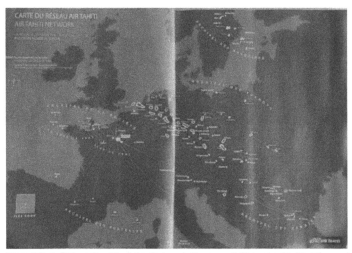

Französisch-Polynesien hineinkopiert nach Europa mit Papeete als „Paris", so wie viele Franzosen wohl auch Europa gerne selbst sehen würden (meine sehr subjektive Meinung)

Bora Bora, die Abendsonne spiegelt sich in der Lagune, dazu einen Petit Punch

Bora Bora, azurblaue Lagune mit Spielzeug vor prachtvoller Kulisse

Unser Spielzeug, es hätte schlimmer sein können, aber wir haben es verkraftet

Abendsonne mit Blick zur Lagune hinaus

Tikehau-Atoll; unser Motu war eine halbe Stunde von der Hauptinsel entfernt;

Unsere Häuschen direkt an der Lagune

unsere „Haustiere", Black Tipp Riffhaie

mehrere Motus für zwei Menschen;
wer diese Einsamkeit „erträgt", den kann nichts mehr erschüttern

Ein Segeltörn im Fakarava-Atoll;
Das Atoll ist ca. 60 Kilometer lang und ca. 20 Kilometer breit, da kann man lange segeln.

Boarding in Raiatea

Meeresfrüchte satt, lecker!

Bora Bora, here we come!

Training für die jährliche Hawaiki Nui Va'a-
Paddelmeisterschaft in azurblauer Lagune

Paddeln im Stehen fördert das
Gleichgewichtsgefühl

Maupiti, Baden in flacher Lagune

Abendessen im „Little Polynesien" auf Rarotonga, Cook-Inseln

Neuseeland

Das „Rebenmeer" vom Marlborough-Weinanbaugebiet;
Weingüter, groß wie in Südafrika, im Hintergrund Weideland

Traumhafte, gepflegte Plätzchen, super Wein, „Seafood" und andere Schmankerl, aber
„mitten am Tag" um 17 Uhr ist Schluss, „What a Pity"

Das Weingebiet sollte man sich merken

West-Brighton, einsame Strände für tollkühne Surfer

Traumhafte Koromandelküste

Steinkugeln bei Moeraki sind wie Murmeln eines Riesen

Napier, Strandpromenade und Häuser, Art-Deco vom Feinsten

Otago-Halbinsel, glückliche Kühe im „Allgäu" Neuseelands

Der Albatros, glücklich, wer so majestätisch fliegen kann

Lake Waitapu, Southern Alps, eine Landschaft, geschaffen für den „Herrn der Ringe"

Australien, Ostküste

Traumhafte und einsame Strände an der Ostküste, kilometerlang

Fingal Head, bizarre, hexagone Säulen   Surfers Paradise, ziemlich hässlich

Koala im Roto House,   Moonee Beach   Kängurus in Moonee Beach
Port Macquarie   nahe Emerald Beach

Sehenswerte alte Leuchttürme entlang der gesamten Küste

Melbourne und Great Ocean Road

Landungsbrücke im Hafen

Viktorianische Wohnhäuser Melbourne

Williamstown gegenüber Melbourne

Melbourne vom Hafen aus gesehen

Farewell!

Loch Ard Gorge

The Grotto
The Great Ocean Road

The London Bridge

Unter Coronabedingungen

Flug von Brisbane nach Melbourne

Fliegen im März 2020
in Australien

Nur unsere Maschine flog noch, Gott sei Dank,
alle anderen sind bereits storniert

Flug von Melbourne nach Frankfurt

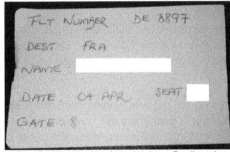

Eine Rarität, eine handgeschriebene Bordkarte!

Endlich im
Flugzeug

Der Flug ging wirklich!

5.0. EUROPA, EIN PLÄDOYER FÜR EINEN WUNDERBAREN KONTINENT

„Europa ist gesünder als viele glauben. Die echte Krankheit Europas sind seine Pessimisten."
(Jacques Lucien Jean Delors, französischer Politiker)

Wo sind unsere Europa-Visionäre?

Bevor ich auf die Überleitung zu diesem Kapitel komme, möchte ich vorab eine grundsätzliche Frage an Sie, lieber Europäer, liebe Europäerin stellen.

Wissen Sie, wo unsere europäischen Visionäre heutzutage geblieben sind? Wo haben sich die die Adenauers, die Kohls, die Gischard d`Estaing, die Jaques Delors von heute denn versteckt?

Mit dieser Frage komme ich zurück, liebe Leser auf meine vorangegangenen Kapitel. Zusammen mit unserer Weltreise und der ausgebrochenen Corona-Pandemie bin ich auf diese grundsätzliche europäische Frage gekommen. Ich fand und finde keine Antwort darauf, deshalb entstand dieses Buch. Dieses Buch ist also im Wesentlichen die Suche nach einer Vision für unser zukünftiges Europa. Die Weltreise rückt damit eigentlich in den Hintergrund, ich wollte Ihnen aber unsere Eindrücke von unserer Weltreise nicht vorenthalten, weil sie der Auslöser für dieses Buch war.

Ja, der gesamte Globus ist wirklich so schön! Es gibt so viele wunderbare Flecken auf der Welt.

Immer wieder gehe ich gerne „in die Welt hinaus", ja, ich reise mit viel Enthusiasmus und habe immer noch diesen unstillbaren Wunsch Neues zu entdecken. Und ich fühle mich manchmal wie ein Kind, das mit großen Augen der Natur und den Menschen begegnet. Es sind diese oftmaligen Einzig-artigkeiten, die mich faszinieren.

Der Albatros zum Beispiel – als ich ihn zum ersten Mal auf der Otago-Halbinsel persönlich sah: Diese Souveränität, mit er über das Meer segelt, er fliegt ja bekanntlich tausende Kilometer, ohne landen zu müssen! Einfach unglaublich!

Oder, als ich das erste Mal im Masai-Mara-Naturschutzgebiet in Kenia eine mehrere tausend Stück große Gnu-Herde erleben durfte, die auf Ihrer Wanderung von den nördlichen Weidegebieten in die südlichen Gebiete zur Serengeti unterwegs war. Sie bildete in der Savanne eine gefühlt kilometerlange Schlange, um anschließend „in Staulage" den Fluß Mara nach Süden zu den Weidegebieten überqueren zu müssen.

Oder diese vielen einzigartigen Kulturgüter, die Menschen mit einfachsten Hilfsmittels in der Vergangenheit bauten wie zum Beispiel die Pyramiden in Ägypten, die Inkastadt Machu-Picchu hoch oben über dem Urubambatal, die Paläste der Azteken rund um Mexico-Stadt, die Stadt Ephesos in der Westtürkei, die Moai auf den Osterinseln, das Taj Mahal in Accra, der „Goldene Pavillon" in Kyoto, der Stein von Rosette im British Museum und vieles mehr. Es gibt noch tausende Sehenswürdigkeiten, die es wert wären, aufzuzählen und noch besser selbst anzusehen.

Und, im Unterschied zu früheren Zeiten, ist eine Weltreise wie die unsere heutzutage eigentlich kein großes Abenteuer mehr, sondern relativ einfach zu realisieren. Mit ein bisschen Mut und Wissen über andere Länder sowie mit etwas Sprachenkenntnis können mittlerweile sehr leicht ausgesprochen weite und lange Reisen gemacht werden. Nicht umsonst trauen sich heute viele Jugendliche zu, vor oder während des Studiums, Reisen um die Welt zu machen. Australien, Neuseeland, Südamerika, Japan, Indien sind keine unerreichbaren Ziele mehr, sondern teilweise bereits in jedem Jugendkalender fest eingeplant. Von den Standardländern wie den USA, Canada etc ganz zu schweigen; das ist ja schon mittlerweile Routine.

Und das ist gut so! Mit jedem Kennenlernen anderer Menschen und Kulturen, mit jedem Händeschütteln anderer Menschen kommt ein Austausch zustande, der jeden von uns enorm bereichert und uns auch gegenseitig zu verstehen hilft. Gegenseitiges Verständnis, Zuhören, was der andere sagt, seine Probleme zu sehen und nachvollziehen zu können, das führt Menschen zusammen und hilft Ressentiments voneinander abzubauen. Jeder kann so Botschafter seines Landes werden und ein Zusammenwachsen, sozusagen von unten oder auch mit den Füßen, fördern.

Unsere Reise, die vollkommen entspannt begonnen hatte, und zum Ende hin mit der sich ausbreitenden Corona-Pandemie eine völlig unerwartete Wendung bekam, wird dafür sorgen, dass sich die Welt zukünftig unterscheiden wird in eine Vor-Corona- und in eine Nach-Corona-Zeit; davon bin ich überzeugt. Wie es zu jedem Zeitpunkt in der Geschichte solche Zeitenwenden gegeben hat, wie zum Beispiel die Entdeckung Amerikas durch Kolumbus (obwohl die Wikinger schon vorher dort waren) oder die Erfindung des Schießpulvers mit all den negativen Begleiterscheinungen.

Natürlich sind diese Zeitenwenden immer auch im Kontext der jeweiligen gesellschaftlichen, politischen und kulturellen Epochen zu sehen. Ohne kosmologischem Wissen über das Sonnensystem, also den Zusammenhang des Zentralgestirns Sonne und der Erde als Planeten sowie über deren Kugelform zum Beispiel, wäre die Entdeckung Amerikas durch Kolumbus nicht passiert, weil er nicht nach Westen Richtung Indien gesegelt wäre. Es hätte keinen Sinn für ihn gemacht, weil der Seeweg Richtung Osten nach Indien bereits bei den Portugiesen bekannt gewesen war und sie quasi das Handelsmonopol darüber hatten. Des Weiteren wäre das monatelange Segeln über ganze Ozeane hinweg ohne das damalig moderne Navigationswissen unmöglich gewesen.

Mit der Pandemie rücken gleichzeitig so viele verschiedene Facetten aus unterschiedlichsten Richtungen in den Mittelpunkt und beeinflussen unseren gesellschaftlichen Zusammenhalt, unsere zukünftige politische Ausrichtung sowie die Stellung Europas in der Welt. Mit der Pandemie fokussierten sich wie im Brennglas schon vor Corona vorhandene Probleme, wie zum Beispiel die Kosten für den Brexit, politisch wie auch finanziell, die „Amerika First"-Kampagne Trumps, das Machtstreben Chinas und Russlands sowie der fragile innere Zusammenhalt Europas und damit die Stellung Europas in der Welt.

Europa, ein Plädoyer für einen wunderbaren Kontinent!

Je älter ich wurde, je mehr Länder, Völker und kulturgeschichtliche Sehenswürdigkeiten ich sah und erlebte, desto mehr wurde ich ein überzeugter Europäer. Mit jeder Reise, die ich machen durfte, mit jedem anderen Kontinent, den ich betrat, und mit jedem anderen Menschen, den ich kennenlernen und mit ihm austauschen konnte, umso mehr zog es mich zurück nach Europa.

Dabei möchte ich meine Einstellung und Erfahrung scharf abtrennen von einem nationalen oder europäischen Chauvinismus, einer stumpfen Überheblichkeit gegenüber anderen Völkern und Kulturen. Es geht hier einzig und allein darum, feststellen zu dürfen, welch wunderbarer Kontinent Europa für mich ist.

Nein, für mich war und ist das Kennenlernen verschiedener Lebensweisen immer auch ein Spiegelbild meiner eigenen Lebensweise gewesen, ein Hinterfragen meines Tuns und Handelns. Ist das (Zusammen-)Leben, wie wir es führen, richtig? Gibt es Korrekturen, die wir vornehmen müssen? Wie implementieren wir notwendige Adaptierungsmaßnahmen in unsere Gesellschaft? Wie gleichen wir Unterschiede zu anderen Völkern und Kulturen aus? Wie können wir anderen bei der Bewältigung ihrer Probleme helfen und sie unterstützen?

Europa – immer noch ein Sehnsuchtsort für viele.

Schon bei früheren Reisen ist mir aufgefallen, dass viele Regionen oder gar Kontinente immer noch ausgesprochen stark von Europa geprägt sind, genauer gesagt, von einzelnen Ländern in Europa, die sich vorwiegend zum Ende des 15. Jahrhunderts bis zum Beginn des 20. Jahrhunderts aufmachten, um die Welt zu erobern und Länder oder ganze Kontinente zu kolonisieren. Das lässt sich sehr leicht anhand der üblichen europäischen Sprachen (Englisch, Französisch, Spanisch, Portugiesisch) nachvollziehen.

Eigentlich sollte es befremdlich sein, dass man in Nord-, Mittel- und Südamerika, in der Südsee, in Neuseeland, in Australien oder in vielen asiatischen und afrikanischen Ländern heute noch mit einer Selbstverständlichkeit europäische Sprachen spricht, als wären es die eigenen Muttersprachen. Ich möchte jetzt aber keinen Geschichts- oder Politdiskurs darüber beginnen, oder gar eine Kolonialismus-Schelte vom Zaun brechen wollen, sondern lediglich auf diese Tatsache hinweisen und die heutige Realität so nehmen, wie sie ist – und meine Gedanken darauf aufbauen.

Die meisten ehemaligen Kolonien sind natürlich heute von ihrem jeweiligen Mutterland unabhängig, sprechen aber immer noch deren Sprache, was in jedem Fall das Reisen für uns Europäer ungemein erleichtert. Und oft sind es nicht nur die Sprachen, die sie beibehalten haben, sondern gleich auch noch die jeweilige Kultur, das Bildungssystem und die Gesellschaftsformen des Landes, bis hin zum Verkehrs-verhalten. Die ehemaligen englischen Kolonien fahren links, die ehemaligen französischen und spanischen Kolonien fahren rechts. Die einzigen Ausnahmen USA und Canada fahren (auch) rechts, obwohl sie anfänglich (vorwiegend) englische Kolonien waren.

Man findet in den meisten Ländern heute noch den starken Bezug zu ihrem ehemaligen Mutterland, sei es, dass viele Jugendliche zum Studieren in das Mutterland gehen oder gleich dort beruflich haften bleiben. Mit vielen Airbnb-

„Herbergseltern" konnten wir in gesellschaftliche Themen abtauchen und sie erzählten, dass ihre Kinder oftmals in England oder Frankreich studierten und dort meist auch einen „Job" gefunden hätten.

So bleibt der Kontakt praktisch als festgefügte gesellschaftliche Nabelschnur über die Jahrhunderte erhalten. Die Kontakte sind tief verwurzelt, leider aber entlang der kolonialen Schnittstellen, Menschen aus ehemaligen englischen Kolonien halten die Beziehungen nach England aufrecht, Menschen aus ehemaligen französischen Kolonien halten die Beziehungen nach Frankreich aufrecht. Menschen aus Süd- oder Mittelamerika zieht es mehr oder weniger bevorzugt nach Spanien.

Das Zusammenwachsen Europas zu einem Bundesstaat

Ich glaube, das oben Angesprochene muss man wissen, verstehen und nachvollziehen, will man als Europäer in einen konstruktiven Dialog mit anderen europäischen Völkern eintreten und das Zusammenwachsen, zum Beispiel der EU, fördern. Das Zusammenwachsen ist ja da, aber, nach meinem heutigen Verständnis von Europa noch vorwiegend entlang der ehemaligen Kolonialgrenzen und weniger zwischen den europäischen Ländern untereinander. Diese Kolonialgrenzen sind es, die dem Zusammenwachsen innerhalb Europas teilweise hinderlich sind. Es wird sicherlich noch viel Zeit brauchen, bis sie überwunden werden.

Außerdem sind die alten Kontakte weniger konfliktbeladen als die vielen Ressentiments gegenüber den europäischen Nachbarländern.

Ich glaube, dass man das wissen muss, will man in Europa gemeinsame Wege finden und auch gemeinsam beschreiten. Ein Dialog innerhalb Europas wird unter anderem nur dann funktionieren, wenn Europa in der Lage ist, diese Tatsachen in sein Programm einzubauen. Andererseits kann es für Europa aber auch nicht schlecht sein, überseeische Gebiete in einem zusammengewachsenen Europa eingebunden zu haben.

Mit dem Austritt Großbritanniens aus der EU werden die Karten neu gemischt, ist jetzt doch ein Rivale (mit kolonialem Anhang) weniger im Verbund. Das ist ja auch das, was sich Boris Johnson für England vorgenommen hat, Unabhängigkeit von Europa, dafür eine Hinwenden zu den Weltmärkten, bevorzugt also zu den Ländern des ehemaligen British Empire. Ob allerdings die ehemaligen englischen Kolonialländer da mitmachen werden, so wie sich Herr Johnson das vorstellt, bleibt noch die eine Unbekannte in der Gleichung. Die andere Unbekannte, die immer stärker werdende Unabhängigkeits-bewegung in Schottland und Nordirland, der innere Zerfall Großbritanniens.

Die aktuelle Situation in Großbritannien erinnert mich an den Zerfall des österreichisch-ungarischen Kaiserreichs nach 1918. Übrig blieb ein Kleinstaat mit übergroßer Hauptstadt. Die Hauptstadt, verfiel in eine Art Agonie und brauchte viele Jahrzehnte, bis sie annähernd wieder dort war, wo sie anfangs des 20. Jahrhunderts stand und der österreichische Reststaat blieb ein relativ unbedeutender Kleinstaat. Aber ich möchte mich hier nicht weiter aufhalten, das ist das Problem der Engländer.

Aus dieser geschichtlichen Erfahrung heraus bin ich für ein starkes, zusammengewachsenes Europa. Ich bin für ein Zusammenwachsen der europäischen Länder, ob mit oder ohne überseeische Regionen. Ich bin gerade auch für ein Einbinden ehemaliger Überseegebiete in einen europäischen Verbund, weil jedes eingebundene außereuropäische Land ein Land weniger ist, das in dem jetzt stattfindenden globalen Wettbewerb gegen Europa auftreten wird. Und das ist auch schon etwas.

Ist Globalisierung eine Alternative?

Heute wird viel von Globalisierung gesprochen, vom Überwinden der Grenzen und Kontinente. Ja, das stimmt, einerseits, und das ist gut so. Aber Globalisierung funktioniert nur dann, wenn alle mitmachen, wenn alle in etwa die gleichen

Regeln einhalten, dabei friedlich bleiben und kein Land auf ein anderes Land politischen oder gar militärischen Druck ausübt.

Nur in einem global stabilen, politischen Umfeld kann Globalisierung stattfinden, kann sich eine globale Wirtschaft entfalten, können globale Lieferketten störungsfrei funktionieren, zum Wohle aller.

Sobald aber andererseits ein großes Land, eine große Macht wie die USA einen Unilateralismus („America First") anstrebt, wie ihn die Welt schon lange nicht mehr gesehen hat, und andere große Mächte wie China oder Russland folgen, dann wird es für den Rest der Welt ungemütlich und es wird höchste Zeit, dass sich diese umorientieren und sich an ihre vergangenen Stärke rückbesinnen. Vor dieser Frage steht auch Europa, oder besser: die EU.

Man spürt regelrecht, wie diese großen Mächte Druck auf Europa ausüben und mit jeder Faser ihres Tuns versuchen, Europa auseinanderzudividieren – sei es politisch, ökonomisch und auch sicherheitspolitisch. Sie wollen Europa filetieren und die einzelnen Filetstücke unter sich aufteilen.

In die ähnliche Richtung läuft auch die Zusammenarbeit der einzelnen Geheimdienste. Die berühmten „Five Eyes", also die geheimdienstliche Zusammenarbeit von USA, GB, CDN, NZ und AUS zeigen augenfällig, wer drin ist im Club – und wer draußen. Trotz aller Beteuerungen seitens der USA sind alle anderen europäischen Länder außer England draußen, also geheimdienstliches Feindesland, das es auszuspionieren gilt.

Wie kann sich Europa wehren?

Nachdem sich England selbst nach draußen gestellt hat, könnte eine Vertiefung der Wirtschaftsbeziehungen innerhalb Europas zum Beispiel darin bestehen, globale Lieferketten zu begrenzen zugunsten eines tieferen Auf- und Ausbaus der Logistik innerhalb der EU, was die Zusammenarbeit fördert und den inneren Zusammenhalt stärkt. Denn je mehr es innere

Vernetzungen gibt, umso mehr vertieft es den inneren Zusammenhalt.

Auch eine Vertiefung von sicherheitspolitischen Bündnissen in Europa führt in diese Richtung, wobei gerade auch hier die noch vorhandenen Verbindungen zu überseeischen Regionen wie Süd- und Mittelamerika oder auch die Südsee strategische Vorteile bieten könnten.

Des Weiteren war Europa über viele Jahrhunderte technologisch und wissenschaftlich führend in der Welt und ist sicherlich auch heute noch kompetitiv, was die Bildung und die Ausbildung ihrer Jugend und Gesellschaft anbelangt sowie auch in den modernen Wissenschaften wie der Biotechnologie, der Pharmazie, der IT oder der Weltraumforschung.

Ein aktuelles Beispiel ist die Firma Biontech, die gegen den Wettbewerb von vielen globalen Unternehmen, das Rennen um den ersten Corona-Impfstoff gemacht hat, mittels der bahnbrechenden Idee der mRNA-Biotechnologie.

Auch der Flugzeugbauer Airbus zeigt, zu welchem technologischen und wissenschaftlichen Können Europa fähig ist, wenn es vereint große Aufgaben angeht.

Warum sollten wir uns also verstecken hinter den anderen großen Machtblöcken wie China, Russland und den USA?

All diese Beispiele zeigen mir, zu welchen überragenden Fähigkeiten Europa in der Lage ist, wenn es gemeinschaftlich handelt und sich nicht auseinanderdividieren lässt.

6.0. DIE CORONAPANDEMIE ALS CHANCE FÜR VERÄNDERUNGEN

„Das Wort Krise setzt sich im Chinesischen aus 2 Schriftzeichen zusammen – das eine bedeutet Gefahr und das andere Gelegenheit"
(John F. Kennedy)

Die Corona-Pandemie als Gefahr

Wie in Kapitel 3 beschrieben hat sich die Corona-Pandemie in unsere Reise eingeschlichen, zuerst als kaum hörbares Rauschen im Hintergrund, aber dann im weiteren Reiseverlauf in immer lauteren Tönen bis hin zum Zustand des Gestrandet seins in Melbourne.

Zum Zeitraum der Buchentstehung sind weltweit über 73 Mio. Infizierte mit ca. 1,6 Millionen Toten erfasst worden.
(Johns Hopkins Universität, Dashboard, Stand Mitte Dezember 2020)

Es ist eine Pandemie also, die an die große Seuche im 20. Jahrhundert (Spanische Grippe) oder an die vielen Seuchen im Mittelalter (Pest etc.) erinnert. Trotz moderner Medizin und Pharmazie können wir dieses tückische Virus nicht in den Griff bekommen und müssen uns, wie früher auch, mit einfachen Mitteln wie Abstand und Gesichtsmaske vor dem Virus schützen, weil ein geeigneter Impfstoff gerade erst in der Zulassungsphase ist und Ende Dezember 2020 mit der Zulassung zu rechnen ist (Stand Dezember 2020).

So nebenbei hat das Virus auch unsere gesamte Wirtschaft weltweit in die Knie gezwungen, teils bewusst in Kauf nehmend, um die Kontakte zwischen den Menschen zu minimieren und damit die Todesraten niedrig zu halten, aber auch teils, weil die weltumspannenden Lieferketten unterbrochen wurden.

Dazu gibt es eine alte Weisheit: Eine Kette ist nur so stark wie das schwächste Glied in der Kette. Konkret heißt es also, wenn nur ein Teil der (Liefer-)Kette fehlt, leidet die gesamte Lieferkette.

Das Virus ist also nur teilweise schuld am Zusammenbruch unserer Wirtschaft. Einen großen Teil haben wir selbst zu verschulden, weil wir so komplizierte Ketten aufgebaut haben, dass bereits eine kleine Störung die gesamte Lieferkette zum Stillstand bringen konnte und darauf aufbauende Produktionslinien nolens volens komplett zurückgefahren werden mussten.

Das Virus hat uns alle also vor völlig neue Aufgaben gestellt und zwingt uns, alle unsere bislang ausgetretenen Pfade zumindest teilweise zu überdenken und neue Wege zu suchen. Vielleicht hilft auch eine Rückbesinnung auf bewährte Strukturen.

Wir müssen uns Fragen stellen und - oder vielleicht auch wieder alte - Antworten finden.

Ist diese kleinteilig verkettete Welt und globalisierte Wirtschaft tatsächlich das Nonplusultra oder darf es ein bisschen einfacher strukturiert sein? Muss ein Gut um die halbe Welt reisen, nur um ein paar Zehntel Cent zu sparen? Ist „Just-in-Time" der Goldstandard oder dürfen auch Puffer eingebaut werden?

Wie viel Abhängigkeit von anderen Ländern erlauben wir uns, speziell, wenn es um systemrelevante Produkte geht? Ich denke da hier ganz konkret an wichtige Medikamente oder Pharmarohstoffe wie Antibiotika oder Generika, die mittlerweile fast ausschließlich in Indien, Pakistan oder China hergestellt werden, nur um sie ein paar Cent günstiger zu bekommen.

Oder auch der Bereich der IT. Warum müssen wichtige strategische Elemente, wie zum Beispiel Systeme zur 5G-Übertragung aus China stammen? Müssen wir uns tatsächlich in einem strategisch so wichtigen und zukunftsorientierten Bereich von China abhängig machen? Ist unser technologisches Wissen so rückständig oder haben wir es uns einfach zu einfach gemacht? Hierzu fällt mir ein Spruch von Albert Einstein ein: „So einfach wie möglich, aber nicht zu einfach", soll er mal gesagt haben.

Warum kommen große Softwareentwicklungen wie Google, Microsoft oder Facebook fast ausschließlich aus den USA? Ist unser diesbezügliches IT-Wissen in Europa tatsächlich so gering, dass wir nicht mehr mithalten können, oder haben wir uns einiges einfach zu leicht gemacht, uns nicht mehr angestrengt?

Die Krise als Chance und Gelegenheit

Ich glaube, wir müssen in Europa die Corona-Krise auch als Chance sehen und in Nach-Corona-Zeiten sich von vielen Vor-Corona-Gewohnheiten verabschieden, ohne sich dabei von der Welt draußen vollständig abzuschotten.

Das Stichwort Lieferketten wurde ja schon genannt. Kann es nicht möglich sein, dass die Zulieferseite so strukturiert wird, dass relevante Vorprodukte gleichzeitig an voneinander unterschiedlichen Standorten hergestellt werden? In meinem Beruf habe ich gelernt, dass ein Produzent immer mehrere Eisen im Feuer haben sollte – also verschiedene Zulieferer für das gleiche Vorprodukt –, um nicht von einem Anbieter komplett abhängig zu sein. Warum wurde dieser Standardgedanke immer mehr ausgeblendet? Wo waren da die großen Beraterfirmen, die angeblich große Datenbanken haben und alles bis aufs kleinste analysieren können? Was haben diese unseren Firmen geraten? Konkret, warum wurden so viele Vorprodukte ausschließlich aus China abgerufen? Warum haben unsere so überragenden Konzernlenker mit Millionengehältern so einen Zustand billigend in Kauf genommen?

Im Laufe der Jahrzehnte wurden die Lieferketten immer kleinteiliger, die möglichen Anbieter immer globaler, aber auch immer mehr ausgepresst, bis letztendlich nur die billigsten Anbieter übrig blieben, die dann meist nur noch in Fernost und davon speziell in China oder in Indien produzieren, wohl wegen der schier unendlichen Schar an Menschen, die dann auch noch gegenseitig im Wettbewerb standen. Unsere Konzernlenker haben das sicherlich kommen sehen und auch bewusst in Kauf genommen. Der bekannte spanische Chefeinkäufer Ignacio Lopez im auslaufenden 20. Jahrhundert steht sinnbildlich für diese Entwicklung.

Natürlich stimmt es auch, dass man im Nachhinein immer schlauer ist und leicht kritisieren kann, aber diese eklatante Abhängigkeit von nur einem Zulieferland oder zweien, die politisch auch nicht gerade zimperlich sind, wenn es um wirtschaftspolitische Vorteile geht, ist ja nicht vom Himmel gefallen, sondern war schon länger zu beobachten und hätte unseren Wirtschaftslenkern und Wirtschaftspolitikern rechtzeitig auffallen müssen. Gibt es doch viele Regionen in Europa, die sich für den Aufbau von verlängerten Werkbänken genauso gut eignen würden. Ich denke nur an die östlichen und südöstlichen Länder Europas wie zum Beispiel Ungarn, Rumänien, Bulgarien, Slowakei und so weiter. Oder sollen die Menschen aus diesen Ländern alle zu uns kommen und hier ihre Arbeit verrichten? Oder muss ich alle Regionen in Asien und Amerika neben China aufzählen, die für verlängerte Werkbänke ebenso geeignet wären?

Viel wichtiger scheint mir, diese Werkbänke zu diversifizieren, gemäß eines Sprichwortes: „Nicht alle Eier in ein Nest legen" Wir sollten also verschiedene Quellen nutzen. Hat man nur einen Zulieferer, wird man erpressbar oder wie im Fall China von einem ganzen Staat. Das Beispiel Prevent TWP zeigt überdeutlich, was passiert, wenn sich ein Unternehmen, in diesem Fall VW, nur von einem Zulieferer beliefern lässt, weil der als einziger im Bieterwettbewerb übriggeblieben ist.

Maß und Mitte ist verloren gegangen, es zählt nur noch die Umsatzrendite als heilige Kuh zur Befriedigung des Shareholder-Value, der Aktienwert und die Dividende sind die einzigen Faktoren, an denen Unternehmen gemessen werden. Dafür wird eine übertriebene, globale Vernetzung in Kauf genommen. Koste es, was es wolle!

Diese extreme Struktur der globalen Lieferketten war nicht der Auslöser der katastrophalen Pandemie, aber sie hat sicherlich dazu beigetragen, dass sich die Pandemie so rasant und so global ausbreiten konnte. Eine extrem globalisiert vernetzte Welt fordert global vernetzte Menschen und fördert damit eine Pandemie im globalen Ausmaß. Die Frage darf gestellt werden, oder sie muss es sogar, ob nicht eine, sagen wir, begrenzte Globalisierung, unsere Lebensräume und Wirtschaftssysteme langfristig besser sichert und schützt, auch dann, wenn bereits ein Impfstoff gegen das Corona-Virus gefunden worden ist.

Denn nach Corona kommt sicherlich ein anderes Virus um die Ecke und wir stehen wieder vor der Bewältigung einer ähnlichen Pandemie.

Doch es sind nicht nur die Unternehmer die Schuldigen. Sind es nicht wir selbst auch?

Brauchen wir T-Shirts zum Preis zwischen 1,99 und 4,50 Euro!? Einmal das Internet befragen und schon poppen solche Angebote auf. Egal wie und wo, was soll ein (meist bengalischer) Arbeiter für die Herstellung noch dafür erhalten? Macht es denn wirklich Sinn, die Ressource Arbeit und Stoff so billig zu verramschen?

Oder nehmen wir Lebensmittel her. Was sollen argentinische Züchter und ihre Leute noch bekommen, wenn das Angussteak für 30 Euro pro Kilo und weniger im Internet in Deutschland zu haben ist, Kühltransport und -lagerung inklusive? Oder was bekommt ein neuseeländischer Schafzüchter, wenn das Kilo feinstes Lammfilet für 20 € in unseren Discounterläden zu kaufen ist, fertig vorfiletiert und vorbereitet für die Pfanne.

Wie entstehen solche Preise? Macht es wirklich für uns alle Sinn, Güter und Lebensmittel so billig und ausbeuterisch weltweit zu beziehen? „Cui bono", wem nützt es letztlich, ist eine berechtigte Frage und werden wir als kurzfristige Bezieher dieser Güter letztlich langfristig einen Vorteil davon haben?

Ich meine nein, ich meine, die globalen Lieferketten sind zu billig und die eingepreisten Arbeitskosten erreichen in manchen Ländern die Grenze zur Unverschämtheit und Würdelosigkeit.

Ich meine, wir alle müssen umdenken und wieder lernen, mehr heimische Ware zu beziehen. Mit heimisch meine ich nicht von

Deutschland allein, sondern von unserem Kontinent Europa. Ich meine, wir müssen unseren wunderschönen Kontinent wieder mehr schätzen lernen, wir müssen lernen, auf unser geschichtsträchtiges Europa stolz zu sein.

Ich verwehre mich allerdings dagegen, damit einem blinden Europa-Chauvinismus das Wort zu reden. Keine Frage, globale Netzwerke und Ressourcen sind wichtig und können nicht einfach abgeschafft werden. Dafür gibt es zu viele Güter, zum Beispiel Erze oder Energierohstoffe, die nur an bestimmten Stellen auf der Welt in ausreichender Menge vorhanden sind, und die dann direkt vor Ort verarbeitet und anschließend logistisch verteilt werden müssen.

Und es gibt viele Menschen auf der Erde, die auf die Herstellung günstiger Güter dringend angewiesen sind, wie zum Beispiel die vielen Hunderttausend Arbeiter in Bangladesh.

Aber es müssen meines Erachtens nicht so viele Roh- und Halbfertigprodukte manchmal den Globus umrunden, um bei uns in den Handel zu kommen. Denn auch in der Logistik steckt wiederum eine große Menge an Energie und Kosten, die man sich bei reduziertem Transport sparen kann.

Natürlich werden mir jetzt viele Fachleute widersprechen und mir eine merkantilistische Denke unterstellen. Ja schon, aber eine grenzenlose Globalisierung, das hat die aktuelle Pandemie gezeigt, ist sicherlich auch nicht der Weisheit letzter Schluss. Sie schafft politische und wirtschaftliche Abhängig-keiten, die bei globalen sicherheitspolitischen Unwuchten, wie sie heute bestehen, schnell zu Abgehängten führen können.

Eine grenzenlose und globale Weltwirtschaft funktioniert nur dann, wenn alle Völker und Länder zusammen weitgehend im Lot sind und unilaterale Machtansprüche einzelner Staaten nicht oder kaum vorhanden sind. Hier wird mir sicherlich jeder zustimmen, dass das momentan nicht der Fall ist.

Wie immer liegt die Wahrheit in der Mitte. Das politische und wirtschaftliche Pendel hat zu weit ins Globale ausgeschlagen und muss wieder die Mitte finden. Das gilt auch für unseren europäischen Kontinent.

Ein weiteres Beispiel ist das Gesundheitssystem in Deutschland. Seit Jahren wird daran die Axt angelegt. Jedes Jahr werden unter anderem Krankenhäuser geschlossen oder privatisiert, um die Ausgaben beim öffentlichen Sektor zu senken. Gleichzeitig wirbt die eine oder andere private Trägerschaft mit Umsatzrenditen von 10% und mehr. Das führt dann oft dazu, dass in weiten Bereichen beim Personal, meist dem größten Kostenposten, gespart wird, um die gesteckten Renditegrößen einzuhalten oder gar zu erhöhen, damit der Shareholder erstens eine auskömmliche Dividende erhält und zweitens die Aktienpakete entsprechend steigen.

Gleichzeitig erfahren wir tagtäglich aus Rundfunk und Fernsehen, dass das Krankenhauspersonal am Anschlag arbeitet oder teilweise darüber hinaus belastet ist, um die vielen und akuten Pandemiefälle überhaupt bewältigen zu können. Überall mangelt es an Ärzten und Pflegepersonal. Wir alle müssen wirklich Sorge haben, dass unser Gesundheitssystem an der Pandemie zusammenbricht, in vielen Ländern Europas ist es ja teilweise schon so weit.

Die Frage darf hierzu gestellt werden, ob tatsächlich unsere Gesundheit einem Renditefaktor unterworfen sein muss, oder ob sie aus ethischen und moralischen Gründen davon ausgespart bleibt. Des Weiteren darf die Frage gestellt werden, warum es in Deutschland nur eine so knapp bemessene Anzahl an Studienplätzen für Humanmedizin gibt, wenn man von jedem Krankenhaus hört, dass die Klinikärzte grundsätzlich fast ausbeuterisch überlastet sind. Warum kann die Anzahl der Studienplätze nicht um 5 oder 10% pro Jahr angehoben werden, um dem Ärztemangel in den Kliniken begegnen zu können. Es kann doch nicht sein, dass Ärzte und Pflegepersonal über Monate am Anschlag arbeiten, dabei oft selbst krank werden und damit die Situation in den Krankenhäusern noch mehr verstärken.

Auch dieses Beispiel zeigt offenkundig, dass „etwas nicht stimmt im Kontinente Europa". Jedes Land wurschtelt allein vor sich hin und will sich nicht in die Karten schauen lassen. Kommt es zu so katastrophalen Zuständen wie in der jetzigen Pandemie, dann schreien alle laut um Hilfe, und wollen EU-Gelder zugesteckt bekommen. Das Geld wollen sie allerdings einsacken, ohne einem Beweis für die Mittelverwendung. Ganz besonders hat sich dazu Italien grad eben wieder hervorgetan. Italien hat Stand Dezember 2020 über 200 Mrd. Euro bereitgestellt bekommen, um ihre Gesundheitssysteme ertüchtigen zu können, aber mit der wirklich ganz normalen Forderung, dass diese extrem hohen Zuwendungen seitens der EU kontrolliert werden. Und was machen die italienischen Politiker? Sie beleidigen die EU, das wäre ein „Brüsseler Diktat" und quasi ein Kniefall vor Deutschland und Frankreich. Deutschland und Frankreich würden Italien zwingen das private Tafelsilber der italienischen Bevölkerung zu verkaufen, um damit die Rück-zahlung der Darlehen zu bedienen. Dabei geht es den italienischen Politikern nur und ausschließlich darum, die EU zu Geldflüssen zu bewegen, die sie dann nach Gutsherrnart an ihre Klientel verteilen können. Die Gesundheit der eigenen Bevölkerung steht da wahrscheinlich nicht so im Vordergrund.

Wer solche Bündnispartner in den eigenen Reihen hat, der braucht wahrlich keine außereuropäischen Mächte mehr.

Nein, diese Beispiele zeigen, dass es von hinten bis vorne an Visionen in der EU fehlt, dass keine Gesamtstrategie vorhanden ist und wir nur von einer Krise in die nächste taumeln. Es ist immer und immer wieder das Gleiche. Es fehlt an Führung in der EU.

Liebe Europäerinnen und Europäer, die Pandemie zeigt überdeutlich, dass es an europäischen Gesamtlösungen hapert und wir zusammen das ändern müssen. Unsere aktuellen Politiker tuns nicht!

7.0. DIE NEUE ROLLE EUROPAS IN DER WELT, EINE WIEDERBELEBTE VISION

„Als Endziel muß uns vorschweben, daß eines Tages die Vereinigten Staaten von Europa entstehen."
(Konrad Adenauer, 1946)

Europa ist ein so wunderschöner Kontinent und ich bin der Meinung, dass er es wert ist, von uns Europäern erhalten zu bleiben. Sind wir Europäer denn nicht in gewisser Weise privilegiert? Was haben wir doch für eine lange gemeinsame Geschichte, was haben wir für wunderbare kulturelle Einrichtungen, Museen sowie Städte und Landschaften. Viele Millionen Menschen kommen uns jährlich von anderen Kontinenten besuchen und sind von unseren Kulturschätzen beeindruckt, flanieren in unseren Städten, lassen sich von unserer Lebensart anstecken und genießen die Vielfalt unserer Ess- und Lebensgewohnheiten.

Welcher Kontinent hat so viele unterschiedliche und facettenreiche Kulturen auf so engem Raum zusammengefasst? Auf welchem Kontinent kann man auf relativ kurzem Wege so verschiedenartige Lebensgewohnheiten erleben? Rom, Paris, Madrid, London, Berlin, Wien, Athen, welcher Kontinent hat solch unterschiedliche Städte in dieser Vielzahl zu bieten. Burgund, Wattenmeer, Ostsee, Toskana, Alpen, Mittelmeer, Venetien, Andalusien, Skandinavien, Schottland und viele mehr, Regionen, wie sie unterschiedlicher nicht sein können?

Gemeinsam müssen wir es angehen! Gemeinsam müssen wir unser europäisches Haus erneuern und es wieder gegen äußere Stürme dicht machen.

<u>Das aktuelle „Grand Palais"</u>

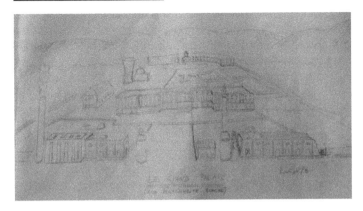

Ja, manchmal kommt mir Europa tatsächlich vor wie ein altes, ehrwürdiges „Grand Palais" mit schönem Park und traumhaften Rundumblick und vielen Zimmern drin, in denen die unterschiedlichsten Menschen wohnen. Jeder hat sich da häuslich eingerichtet, mehr oder minder elegant, manchmal sind schon die Möbel in die Jahre gekommen, wieder andere sind top modern eingerichtet, nach neuestem, technischem Standard. Es ist wie eine Art Studenten-WG, es gibt keinen Verwalter, es herrscht so etwas wie Einwohnerselbstverwaltung. Jeder werkelt so vor sich hin, fühlt sich mehr oder minder wohl dabei, manchmal schielt der eine etwas neidisch ins Zimmer des anderen, weil der eine neue Tapete an der Wand hat oder sich ein neues Sofa geleistet hat.

Wieder andere schimpfen über das Haus, obwohl es gar nicht schuld sein kann, weil es selbst nichts entscheiden kann und darf. Einige Bewohner sind chronisch klamm und leben permanent auf Pump, wollen aber auf Kosten der anderen ihre Zimmer auf den neuesten Stand gebracht haben.

Mittlerweile ist das ehrwürdige „Grand Palais" in die Jahre gekommen, der Stuck ist oftmals schon abgebröckelt, viele Tapeten sind schmuddelig, bei Manchen sind die Fliesen ab und es gibt feuchte Stellen im Mauerwerk, Feuchte dringt von unten in die Keller ein und bedroht die Wände und Fundamente, die Haustechnik ist auf altem Stand und bedarf einer dringenden Erneuerung. Einzelne haben zwar etwas getan, aber es passt nicht zum Gesamtsystem, die sanitären Einrichtungen sind teilweise kaputt oder marode, die äußere Fassade beginnt abzublättern, das Dach ist löchrig, es droht, Regen einzutreten, der das ganze Haus zu zerstören beginnt. Auch die Elektrik sowie die Sicherheitstechnik stammen „aus den Siebzigern" - kurzum, das ganze „Palais" bedarf einer grundlegenden Erneuerung.

Fatal ist auch, dass sich die Einwohnerschaft keine eigene Wachmannschaft leistet, sondern sich von externen Wach-männern schützen lässt, weil die Einwohnerschaft zutiefst friedensbewegt und der Meinung ist, dass von diesem Haus kein Streit mehr angezettelt werden soll.

Draußen warten schon die Haie (als Polit-Investoren verkleidete Plünderer) und reiben sich die Hände, steht doch das ganze Palais auf einem wertvollen Grundstück, dass es zu filetieren gilt. Diese Haie haben überhaupt kein Interesse das Palais zu erhalten, sondern wollen lediglich das wertvolle und schmuck gelegene Land unter sich aufteilen und teuer weiterverkaufen. Die Bewohner im Palais sind diesen Haien völlig egal, versuchen aber dauernd den einen oder anderen Mitbewohner zu beschwatzen und zu beeinflussen, sei es durch Gewährung eines Kleinkredits oder durch Drohung, Jobs zu verlieren, alte Kredite einzufordern oder ganz einfach die Sicherheitswachmannschaft abzuziehen.

Einigen im Palais ist das schon längst aufgefallen und sie wollen das ändern, es gelingt ihnen aber nicht alle Bewohner davon zu überzeugen. Vielmehr streiten die Einwohner unter sich weiter, was sogar soweit geführt hat, dass ein Bewohner im Seitenflügel des Erdgeschoßes die Tür zum Haupthaus zugemauert hat und fortan völlig allein seine Bank weiterbetrieben möchte. Er ist ein verdächtiger, Verträge brechender, Hütchenspieler, der seine eigene, unabhängige Wachmannschaft aufbauen, aber keinen Beitrag zum Erhalt des gesamten Palais beitragen möchte. Trotzdem will er aber immer noch Bankgeschäfte und Geschäfte aller Art mit dem Palais betreiben sowie seine Wachmannschaft an das Palais teuer verkaufen. Er will, wie man sagt, „Cherry Picking" der schlimmsten Art betreiben. Seine eigene Verwandtschaft ist selbst schon erbost über ihn und möchte mit ihm Schluss machen; aber er sträubt sich mit allen erdenklichen Tricks und Gaunereien und zeigt dabei seinen fiesen Charakter.

Gemeinsam handeln oder gespalten werden

Tja so sind wir, wir Europäer! Wir haben einen wunderschönen Kontinent, wir haben ausgesprochen viel Geschichte und Kultur zu bieten, aber was machen wir daraus? Stehen wir zusammen oder lassen wir uns filetieren?

Ich frage mich, wie wir mit den andauernden inneren und äußeren Anfeindungen gegenüber Europa umgehen müssen? Wie schützen wir unseren wertvollen Kontinent und uns selbst? Wie vermeiden wir, dass andere uns zu spalten suchen, gemäß des lateinischen Sprichworts „Divide et Impera"? Was machen wir mit einzelnen, die gerne ökonomische „Trittbrettfahrer" sind und sich dann noch darüber amüsieren? Und ich frage mich oft, warum Europa (die EU) so oft schlecht geredet, aber auf der anderen Seite dann doch wieder Europa (die EU) in schwierigen finanziellen Situationen zu Hilfe gerufen wird?

Wie begegnen wir Ländern, die die wirtschaftlichen Vorteile der Gemeinschaft genießen möchten, sich sonst aber bei allen anderen Fragestellungen vornehm zurückhalten? Ich erwähne hier ausdrücklich diese Rosinenpicker-Mentalität, Prosperität und Gewinne selbst zu behalten, aber dann Schulden zu verallgemeinern, ein gutes Leben Einzelner führen auf Kosten der Gemeinschaft aller.

Das Schicksal in die eigene Hand nehmen

Ich finde Europa ist ein viel zu schöner Kontinent, als dass wir ihn uns auseinanderdividieren lassen sollten. Europa mit seiner Verschiedenartigkeit trägt so viel Gestaltungskraft in sich, dass andere davon auch profitieren könnten. Das Wort Gestaltungskraft beinhaltet aber auch die Kraft zur Gestaltung. Ich meine unseren Willen zur Gestaltung, ich meine unseren Willen zum gemeinschaftlichen Handeln, ich meine eine neue strategische Ausrichtung unseres Kontinents und ich meine den Mut der Länder in Europa sich seiner Wurzeln zu erinnern und gemeinsam voranzuschreiten und ich meine, dass es wirklich Zeit ist, sich auch politisch zu vereinen.

Viel wird über die alten transatlantischen Beziehungen zwischen Europa und den USA gesprochen, zusammengefügt im NATO-Verteidigungsbündnis und den USA als Schutzherrin über das westliche Europa und der westlichen Werte, also Werte,

..."*die Bürger- und Menschenrechte garantieren, nach westlichen Werten wie Freiheit, Rechtsstaatlichkeit, Gleichheit, Individualismus und Toleranz leben und die liberale Demokratie praktizieren*".
(Quelle: Internet Wikipedia, Westliche Welt)

Die Frage darf in diesem Moment gestellt werden, wo in den USA die westlichen Werte denn selbst noch vorhanden sind? Wo werden momentan in den USA noch die Menschrechte und die Rechtsstaatlichkeit vertreten? Mit Trumps „America First" sind sie es mitnichten! Das tägliche Versenden von fragwürdigen Twitterzeilen in die Welt mit teilweise hanebüchenen Verdrehungen der Wahrheit auch nicht! Eine unilaterale Sicht auf die Welt kann nicht die Basis sein für deren Eintreten, es ist lediglich die einseitige Sicht des Starken auf die Schwächeren. Es ist die Sicht des Ersten auf die lange Liste der Nachrangigen. Es ist die uralte Sicht des Kolonialherrn auf seine Kolonien, und es ist überspitzt formuliert die Sicht eines Erpressers, der seiner machtlosen Gefolgschaft seine Bedingungen diktieren möchte. Gut, momentan hat Joe

Biden die Wahl gewonnen, und Biden ist nicht Trump. Mit Biden wird Europa die nächsten Jahre sicherlich einen Befürworter auf der anderen Seite des Atlantiks zur Seite haben. Aber auch ein Herr Biden wird eine Stärkung der europäischen Eigensicherheit einfordern, mit hoher Wahrscheinlichkeit in einem anderen Ton, aber inhaltlich verständlicherweise, umso beharrlicher. Warum sollen die USA allein für unseren Schutz aufkommen, während wir sorgenfrei unseren Geschäften nachgehen können? Diese Art der Lastenverteilung ist unfair. Jeder Europäer würde sich wehren, wenn es umgekehrt so wäre.

Und gleichzeitig hört Trump nicht auf mit seinen bösen Verdrehungen der Wahrheit. Und was wird passieren, wenn er gar 2024 wieder für die Republikaner antritt und womöglich nochmals gewinnt? Dann würde das gleiche Spiel wieder von vorne beginnen. Europa hat also meines Erachtens nicht mehr als eine vierjährige Atempause sich zu organisieren.

Ist Russland nicht schon wieder von uns weggerückt? Ist dieses große Reich nicht wieder zurückgefallen in alte kommunistische Denkmuster mit schlimmen diktatorischen Zügen, nachdem es nach dem Zerfall des Sowjetreiches, Anflüge einer demokratischen Gesellschaft übte? Wieviel Vertrauen dürfen wir gegenüber Putins Russland haben, wenn wir tagtäglich in den Nachrichten hören und in den Zeitungen lesen, wie Russland uns mittels Falschmeldungen und Verdrehung von Tatsachen versucht Einfluss über unser Leben und unsere Gesellschaft zu gewinnen oder versucht unseren, auf demokratischen Regeln aufgebauten, Kontinent zu untergraben.

Wollen wir mit so einem Land, das die eigenen Einwohner vergiftet oder ermordet, tatsächlich zusammenarbeiten? Sollen solche Schurkenstaaten unsere Partner sein? Was denken sich unsere links-verdrehten und verbohrten Politiker eigentlich, wenn sie uns solche Länder als lupenreine Demokratien verkaufen wollen?

Und die chinesische Regierung führt gerade augenscheinlich am Fall Hongkongs vor, was es von internationalen Verträgen hält, wenn es die Freiheit Hongkongs einerseits schriftlich garantiert, aber andererseits gerade diese Freiheiten vor den Augen der ganzen Welt mit Füßen tritt. Im Fall von Hongkong kann die internationale Gesellschaft zuschauen, was passiert, wenn von China abhängige Länder nicht nach der Pfeife Pekings tanzen.

Des Weiteren ist nun auch England auf dem Weg, Europa zu verlassen. England hat sich selbst mental zwar nie wirklich zu Europa gezählt, sondern spricht vom Kontinent, wenn Europa gemeint ist, ist aber viele Jahrzehnte innerhalb der Europäischen Union gewesen und hat zur Stärke und politischen Größe Europas beigetragen.

Europa wird also auch noch kleiner und schwächer, wirtschaftlich wie auch sicherheitspolitisch! Europa droht zu verzwergen und damit zum Spielball anderer Mächte zu werden.

All das sind zwar Momentaufnahmen einer sich verändernden Welt, aber diese Entwicklungen zeigen auch, dass sich Europa nicht mehr auf andere verlassen kann, sondern bereit sein muss, eigene Verantwortung zu übernehmen. Es gilt heute mehr denn je: „Wer sich auf andere verlässt, ist letztlich verlassen." Europa muss sprichwörtlich sein Schicksal in die eigene Hand nehmen. Europa muss wieder auf eigenen Beinen stehen und wieder laufen lernen.

Ja, die NATO ist meines Erachtens sicherlich immer noch eine wichtige sicherheitspolitische Säule, aber Partnerschaften müssen gelebt werden. Mit dem Wegfall des Zustands eines Kalten Kriegs zwischen Ost und West scheint eine gewisse Orientierungslosigkeit im Bündnis erwachsen zu sein und die beteiligten Partner tun sich wohl schwer ohne real existenten gemeinsamen Feind sinnvolle Ziele zu definieren. Der gemeinsame Feind scheint abhanden-gekommen zu sein. Herr Macron bezeichnete die Nato als „hirntot", ist es wirklich schon so weit, oder sind wir gar schon weiter? Und unterstreicht der aktuell geplante Abzug der US-Truppen aus Deutschland nicht diese Entwicklung?

Dabei würde ich mir wünschen, dass dieses wunderbare Europa, dass dieser so viele Jahrhunderte geschundene Kontinent seinen Frieden findet und fortan einen gemeinsamen Weg in die Zukunft geht. Dieser schöne Kontinent hat es verdient! Es ist ihm auch weitgehend gelungen, haben wir doch seit dem zweiten Weltkrieg 75 Jahre weitestgehend Frieden und keinen umfassenden Krieg mehr.

Allerdings zeigte der Krieg auch in Europa doch in Einzelfällen wieder sein hässliches Gesicht wie zum Beispiel beim Zerfall Jugoslawiens, bei dem Bruderländer gegeneinander Krieg führten und der bis hin zu Völkermord eskalierte. Srebrenica als Fanal wird stellvertretend für diesen Krieg als menschenverachtendes Symbol in langer Erinnerung bleiben.

Oder die beispiellos krude Annexion der Ostukraine durch Putins Russland verbunden mit dem Raub der Krim-Halbinsel. Europa schaute zu - und tat wenig, um nicht zu sagen: NICHTS!

Wie lautet ein Zitat von Friedrich Schiller, das mir des Öfteren auch meine Mutter vorsagte? „Es kann der Frömmste nicht in Frieden leben, wenns dem bösen Nachbarn nicht gefällt!"

Und so wie es sich im Kleinen verhält, so verhält es sich auch im Großen, ein Staat oder eine Staatengruppe kann nur dann friedlich leben, wenn auch die Nachbarn friedlich bleiben. Oder anders ausgedrückt, ein Staat kann sich nur dann seinen Frieden bewahren, wenn er auch in der Lage ist, seinen Frieden zur Not auch selbst sichern zu können, oder zumindest so viel Kraft besitzt dem Aggressor zu zeigen, dass auch er ihn empfindlich verletzen kann und damit den Aggressor zögern lässt seine Aggression auszuführen.

Die Beispiele von Srebrenica und auch der Krim haben aber gezeigt, dass Europa meines Erachtens eine zu (einseitig) friedliche Einstellung besitzt und nicht Willens und in der Lage ist sich zu verteidigen, wenn der Nachbar Böses vorhat. Der berühmte Palmzweig im Mund der weißen Friedenstaube ist dann schlicht zu wenig, da müssen dann schon unmissverständlich andere Instrumente gezeigt werden.

Europa, die EU, spielt ökonomisch gesehen sicherlich eine globale Rolle; kein Land der Welt, keine Staatengemeinschaft kommt an Europa vorbei, aber verteidigungs- und sicherheitspolitisch ist Europa ein Zwerg. Dafür gibt es viele Gründe, vor allem die, die aus der Historie Europas erwachsen sind, aber auch solche, die schlicht mit Eitelkeit, Egoismus und individuellem Machtgehabe einzelner Regierungschefs zu tun haben.

Dieses Auseinanderklaffen von wirtschaftlicher Stärke, aber verteidigungspolitischer Schwäche ist sicherlich eine grobe Achillesferse, die Europa angreifbar macht.

„Staateritis" als nationalstaatliche Krankheit

Ein weiteres Problem, das zur Verzwergung Europas beiträgt und das es zu lösen gilt, ist die nach wie vor gegebene, ich nenne sie, „Staateritis", also die ausgeprägte und völlig übertriebene Nationalstaatsdenke der einzelnen Länder, die Eitelkeiten und Eifersüchteleien untereinander, der Neid und die Missgunst zueinander, als Krankheit und Stachel im Fleisch Europas. Diese egoistische Staateritis führt zu viel zu langen Diskussionen und verhindert sinnvolle gemeinsame Lösungen. Außerdem brauchen Entscheidungen oft viel zu lange und das Feilschen um Besitzstände trägt oftmals wirklich unwürdige Züge in sich, sodass sich viele europäische Bürger angewidert abwenden.

Des Weiteren kaschieren so manche Nationalstaatspolitiker ihre Unfähigkeit, indem sie versuchen ihre eigenen Fehler und ihr Unvermögen nach Europa (Brüssel) zu schieben und dort die Schuldigen zu verorten. Und letztendlich spielt diese Staateritis als Spaltpilz auch den außereuropäischen Mächten wie USA, China oder Russland in die Hände.

Ich möchte hier nur zwei aktuelle Beispiele nennen, die Justiz-reform in Polen und die Ausschaltung der parlamentarischen Rechte in Ungarn sowie die Unfähigkeit sowie den mangeln-den Willen der italienischen Regierung auch nur annähernd überholte Strukturen und Finanzen in Griff zu bekommen.

Gerade die letzte EU-Ratssitzung im Juli 2020 hat mal wieder vor Augen geführt, wie einheitlich die gemeinsamen Vorstellungen von der EU sind. Obwohl vor der Sitzung immer wieder postuliert wurde Rechtstaatlichkeit in der EU, also das gemeinsame Verständnis von Demokratie und rechtsstaat-lichen Prinzipien als europäischen Wert anzusehen, wurde die Rechtsstaatlichkeit am Altar der Staateritis geopfert, nur um zu einem gemeinsamen Ergebnis (gemeinsamer Fonds zur Unterstützung coronageschädigter EU-Staaten) zu kommen. Des Weiteren verweigerten die beiden Länder Polen und Ungarn bis zum Schluss ihre Zusage zum neuen EU-Haushalt sowie zur Auszahlung des so notwendigen Coronafonds

(Stand Dezember 2020). Erst als die anderen EU-Staatschefs in einer politischen Entscheidung die Rechtsstaatlichkeit opferten und auf den „Sankt-Nimmerleins-Tag" verschoben und den beiden Staatschefs Orban und Morawiecki einen Persilschein zum Weiter so gaben, stimmten auch die beiden dem neuen EU-Haushaltspaket zu.

Aber kaum war das Haushaltspaket verabschiedet, gabs einen *„Aufruhr in Italien trotz vieler EU-Milliarden"*. So überschrieben in einem aktuellen Artikel in der Frankfurter Allgemeine. Da kann man doch glatt lesen, dass Herr Salvini meint, *„Wir sagen nein zu einer Reform, die uns weniger frei macht und die Ersparnisse der Italiener gefährdet"* und Frau Meloni meint, *„Es geht tragischerweise um die Verwirklichung des deutschen Traums, dass Italiens Staatsschulden mit privaten italieni-schen Ersparnissen bezahlt werden"* und weiter *„Klar ist, dass man in Europa denkt, wir verschwendeten unser Geld und dass uns fähigere Leute fehlten, die uns beim Regieren helfen, wie Deutsche oder Franzosen, doch die bewahren uns nicht nur vor unseren Lasten, sondern klauen auch noch unser Tafelsilber"*.
(Quelle: Frankfurter Allgemeine, Seite 20, vom 12. Dezember 2020)

Da fällt Einem wirklich nichts mehr dazu ein! Da soll Italien neben den üblichen Milliarden aus dem EU-Haushalt auch noch allein aus dem 390 Mrd. Geschenkekorb ca. 66 Mrd. € und aus dem Wiederaufbaufond von zusammen 360 Mrd. € nochmals ca. 128 Mrd. als langfristiges Darlehen, zusammen also ca. 204 Mrd. € erhalten und dann beschimpfen italienische Politiker die EU und andere Geberländer dafür in einer Art und Weise, dass Einem nur noch der Mund über so viel freche Präpotenz offen bleibt. Italien scheint meines Erachtens schlicht ein hoffnungsloser Fall zu sein, ein „Failed State" sozusagen. Italien kommt mir vor wie der berühmte gordische Knoten, der außerstande scheint sich selbst zu entfesseln. Soviel Frechheit ist für ein Europa, für eine EU unwürdig.

Ein weiteres Beispiel für das unwürdige Verständnis von Gemeinschaft war das nach wir vor ungelöste Problem der Solidarität gegenüber Migranten. Und dabei meine ich nicht das unkontrollierte Einwandern von Millionen aus anderen Kontinenten, sondern unseren eigenen Reflex beim Umgang mit diesem Problem. Ich meine dieses unwürdige Schachern um Quoten, wer wieviel bei der Umverteilung übernimmt. Wir reden hier über Menschen, die aus katastrophalen Lebensverhältnissen zu uns flüchten und Schutz suchen, und was machen wir, statt zu helfen, wir streiten um Verteilungsquoten, als wären diese keine Menschen, sondern Ballast, der möglichst zu vermeiden gilt, als Sache, so wie früher um Sklaven geschachert wurde.

Ich finde das einfach nur noch bedrückend und beschämend wie diese auf Zeit gewählten Kleinkönige und Fürsten über unser Geld und unser aller Rechtsempfinden hinweggehen. Sie fordern von uns allen ein „europäisches Verständnis" und „beschenken" uns dafür mit Kungelei, gegenseitiger Erpressung und schlimmster Staateritis.

Aber das ist ja alles (leider) allzu bekannt! Aber es ändert sich nichts, oder wenig! Jeder beharrt auf seinen nationalen Rechten und schaut nur, dass er/sie (die Regierungschefs) das meiste für sich herausholt, damit er/sie zu Hause gut da steht und Punkte für die nächste Wahl gesammelt hat.

Die außereuropäischen Mächte schauen derweil zu und reiben sich das Fäustchen! „Divide et impera" hat wieder mal bestens funktioniert.

Die derzeitige Art der europäischen „Regierung", in der es 27 Regierungschefs und einen moderierende Rats-„Präsidenten" (derzeit eine Ratspräsidentin) gibt, ist einfach nur noch lächerlich und einer so großen und wichtigen Gemeinschaft schlicht unwürdig.

Allein schon das „Einstimmigkeitsprinzip" ist völlig überholt und lässt jeden einzelnen nationalen Regierungschef zu jedem Zeitpunkt zum „größten Europäer aller Zeiten" hochfliegen, indem er/sie nur das eine oder andere Programm mit seiner Stimme blockieren kann und er/sie durch geschickten „Stimmenkauf" die EU zu Zugeständnissen erpresst. Besonders die Engländer waren da große Meister und es ist gut, dass sie weg sind; ein „Cherry-Picker" weniger in dieser

Runde. Sowas geht nicht in einer so großen Gemeinschaft wie die EU eine ist.

Dabei würden die EU und wir alle dringend Führung benötigen. Die EU braucht eine Vision, wohin sie sich orientieren will. Und auch wir Menschen brauchen Orientierung, wir brauchen jemand, der eine Richtung vorgibt, jemand, der voranschreitet und dem wir folgen können. Wir brauchen so etwas wie „Leadership" und kein „kakophones" Dauerfeuer.

Ja, wir brauchen dringend eine neue Regierungsstruktur in der EU, eine von uns legitimierte Regierung in Europa, der es erlaubt ist, uns alle auf Zeit zu „regieren". Wir brauchen eine supranationale europäische Regierung, die unabhängig regieren kann, ohne das laufende Störfeuer der National-staatspolitiker.

Vision 1:

Die neue europäische Antwort, die Vereinigten Staaten von Europa (VSE)

„Ein geeintes Europa wäre auch dann eine zwingende Notwendigkeit, wenn es überhaupt keine sowjetische Gefahr gäbe. Die Schaffung Europas ist die Aufgabe, die unser Zeitalter uns Europäern gestellt hat. Sie zu lösen, geht uns alle gleichermaßen an, ohne Rücksicht darauf, welche Sprache wir sprechen, ganz besonders aber uns Deutsche und Franzosen, weil unsere Völker am schwersten an der Geschichte tragen."
(Konrad Adenauer, „Unsere beiden Völker", 1952)

Neue Zeiten brauchen neue Antworten und eine dieser Antworten ist meines Erachtens, dass wir dringend eine supranationale Ebene in Europa brauchen, die klare Zuständigkeiten und Regelungen besitzt, um ein gemeinsames europäisches Handeln zu ermöglichen und die sich nicht immer wieder im nationalen Klein-Klein zu erschöpft.

Wir müssen nationale Macht zugunsten einer supranationalen Macht abgeben, weil es so ist, dass *kein* Nationalstaat in Europa in der Lage ist, heute nicht und in Zukunft schon gar nicht, gegen die globalen Bedrohungen und Einflüsse zu bestehen. Also müssen wir zusammenstehen und nach gemeinsamen Lösungen suchen, die es uns ermöglicht, auch international wahrgenommen zu werden.

Meines Erachtens wird es daher Zeit, dass unsere Politiker und wir alle, die sie wählen, konkret Wege zu einer politischen Vereinigung finden, zu den Vereinigten Staaten von Europa (VSE)! Und diese VSE müssen die supranationale Kompetenz besitzen, diesen europäischen Bundesstaat zu regieren.

Die Alternative dazu, ein Staatenbund, wie ihn viele, vor allem nationale Politiker, vertreten, wird es nicht schaffen, die Staateritis einzugrenzen, weil gerade in einem Bund wieder nur die einzelnen Nationalstaatspolitiker die Macht haben und wiederum jeder einzelne Staat im Bund machen wird, was er will.

Ein sehr bekannter Staatenbund, das Heilige Römische Reich hat über viele Jahrhunderte gezeigt, dass so ein Staatenbund nicht des Rätsels Lösung ist, sondern nur zum Spielball anderer mächtiger europäischer Nationen geworden ist.

Wie liest man bei Wikipedia dazu:

„Das Reich konnte seit der Mitte des 18. Jahrhunderts seine Glieder immer weniger gegen die expansive Politik innerer und äußerer Mächte schützen. Dies trug wesentlich zu seinem Untergang bei. Durch die Napoleonischen Kriege und die daraus resultierende Gründung des Rheinbunds, dessen Mitglieder aus dem Reich austraten, war es nahezu handlungsunfähig geworden. Das Heilige Römische Reich erlosch am 6. August 1806 mit der Niederlegung der Reichskrone durch Kaiser Franz II."
(Quelle: Wikipedia, Heiliges Römische Reich)

Nein, ein Staatenbund kann und darf es nicht (mehr) sein! Das ist die EU ja heute schon, ein Friedensprojekt, aber ohne gemeinsame sicherheitspolitische Ausrichtung. Es ist ein Flickenteppich, der von inneren und äußeren Mächten gestört und zerstört werden kann.

Im Jahre 2011 hat das Medium „Zeit-Online" vom 02.09.2011, folgende, wirklich interessante Umfrage veröffentlicht.

Bereits 2011 haben circa 35 Prozent der deutschen und sogar circa 44 Prozent der französischen Bevölkerung ja gesagt zu den „Vereinigten Staaten von Europa". Lediglich England war „nicht begeistert".
(Quelle: Zeit-Online" vom 02.09.2011)

Aber warum tun wir uns dann so schwer mit dem Zueinanderfinden? Weil wir Europäer eben Europäer sind, mit all dem Weh, Ach und Krach unserer Jahrtausendalten Geschichte. Immer wieder werden die alten nationalen Eifersüchteleien geschürt, tauchen der Neid und die Stereotypen auf, keiner traut wirklich dem anderen, keiner will, dass der andere (Staat) mehr Macht gewinnt, jeder möchte eigentlich sein nationales Süppchen weiter kochen. Der Norden spricht dem Süden die wirtschaftliche Kompetenz ab, und der Süden belächelt das Pochen auf seriöses Wirtschaften sowie die mangelnde Leichtigkeit im Norden. Der mittlere Osten kämpft um demokratische Strukturen und mit Korruption und die westeuropäischen Länder träumen teilweise immer noch von der ehemaligen imperialen Größe und meinen es allein schaffen zu können. Und alle zusammen schimpfen auf Europa (die heutige EU), wenn etwas auf der nationalen Ebene schief läuft.

Mit dieser Denke wird meines Erachtens aus „Europa der 27" nie etwas werden, da bin ich ausgesprochen skeptisch und eigentlich müsste ich frustriert die Hände in den Schoß legen und resigniert dem Ende Europas entgegenblicken.

Nachdem sich aber England 2016 aus der EU verabschiedete und seit 2019 dort auch nicht mehr vertreten ist, könnten für die anderen europäischen Länder die Karten neu gemischt werden.

Eine zweite Idee, ein „Europa der zwei Geschwindigkeiten"

"Ein Europa à la carte, bei dem jeder der Partner nur das aussucht, was ihm an diesem Europa besonders zusagt, kann ebenso wenig unser Ziel sein wie ein Europa, das sich am langsamsten Schiff im Geleitzug ausrichten muss."
(Helmut Kohl)

Um eingangs klar zu festzuhalten, diese Idee ist wirklich nicht neu, sondern wabert schon seit Jahrzehnten durch die Köpfe vieler Europapolitiker, oder jenen, die meinen solche zu sein. Aber wie so vieles in Europa blieb auch diese Idee in der Nebelkammer des Dahingesagten liegen, ohne dass auch nur eine Spur davon Wirklichkeit wurde. Auch diese Idee poppt immer wieder auf wie das Ungeheuer von Loch Ness, um dann wieder in der Versenkung zu verschwinden. Zuletzt hat sich sogar Frau Merkel 2017 dieser Idee erwärmt, aber wie bei so vielem ist auch sie wieder davon abgerückt, warum auch immer. Vielleicht wurde sie beim „auf Sicht fahren" blind und hat die Orientierung verloren. Momentan durchläuft die Idee, getarnt als Kerneuropa, wieder eine erneute Runde durch die (deutschen) Zeitungen; ob sie auch in anderen Ländern eine Erwähnung findet, weiß ich jetzt nicht. Politiker haben sich (noch) nicht dazu geäußert oder schweigen es tot.

Dabei existiert ein äußerst erfolgreiches Beispiel, an dem die Europäer sich orientiert könnten und das sind die USA selbst!

Die heutigen Vereinigten Staaten von Amerika waren bei deren Gründung auch *nur* die dreizehn Neuengland-Kolonien und nicht die heutigen 51! Die Gründung war im Jahr 1776 und das letzte und 51. Mitglied, Puerto Rico trat 2012 dem Bundesstaat bei, das vorletzte, Hawaii und 50. Mitglied im Jahr 1959. Es brauchte also über 200 Jahre zur heutigen Größe und Stärke!

Warum sollte dieses Beispiel nicht auch für Europa eine gute Vorlage sein? Warum sollte das nicht auch einem europä-ischen „Transatlantiker" einleuchten? Warum soll es also auch den Europäern nicht gelingen wollen, auf Basis unterschied-licher Zeiträume (Geschwindigkeiten) ein vereintes Europa zu bilden? Ich meine, das gelingt, wenn der (politische) Wille da ist. Ich meine, das gelingt, wenn eine Handvoll Staaten, die bereits sehr eng zusammenarbeiten und sich kennen und gegeneinander vertrauen, den Schritt wagen, die eigene nationale Macht an eine supranationale Regierung abzugeben. Ich meine, das wäre ein Vorteil für alle; die vorhandenen EU-Verträge sollen bereits das ja erlauben.

Ein weiteres gutes Beispiel ist auch die Gründung der Montanunion im Jahr 1952 gewesen, in der sich sechs europäische Staaten zur wirtschaftlichen Zusammenarbeit zusammengeschlossen haben. Die Montanunion war so erfolgreich, dass später die heutige EU daraus hervorgegangen ist.

Zwei Ereignisse führten aber dazu, dass die EU von heute schwächer ist, als in früheren Zeiten. Das Eine war das rasche Wachsen der EU zur heutigen EU der 27 (bis 2019, EU der 28) und das Andere die Einführung des Euro. Beide Ereignisse waren zwar von den damalig verantwortlichen Politikern gut gemeint, aber letztlich schlecht organisiert worden.

Hinterdrein ist man immer schlauer, sagt der Volksmund und deshalb will ich gar nicht an den Entscheidungen herum nörgeln, sondern die Konsequenzen daraus ziehen. Eine der Konsequenzen ist die, dass es keine EU-weite Vision gab, wie die vielen neuen Länder in die EU integriert werden sollen.

Das schnelle Zusammenwachsen war eher mehr ein „Zusammenwuchern", weil viel zu schnell viel zu unterschiedliche Systeme und Denkweisen unter einem Dach zusammengefügt wurden. Gerade die vielen osteuropäischen Länder kamen aus einer völlig anderen Denkrichtung in die EU; und heute zeigen diese fast ausschließlich diktatorische Zuckungen mit teilweise ausgesprochen korrupten Tendenzen.

Auch die letzte große gemeinschaftliche Einführung in der EU, die Einrichtung des gemeinsamen Währungsmarktes hat gezeigt, dass eine gemeinsame Währung allein, ohne politischen Zusammenschluss zu mehr Spannung, als zu einem vereinigten Handeln führt.

Auch dafür gibt es wiederum viele Gründe, aber der Hauptgrund ist wohl der, dass es eben keine politische Einheit gibt, dass es keine zentrale Ebene gibt, die letztlich die Entscheidungskompetenz über die politische Ausrichtung und letztlich auch über Soll und Haben hat.

Die Vereinigten Staaten von Europa (VSE) – eine Vision im Lichte des Grand Palais

Wie könnte das renovierte „Grand Palais" wohl aussehen und wie würde sich das Leben darin abspielen?

(Bildquelle: Rodolfo Di Telo)

Wie gesagt, das Land um das „Grand Palais" war ja fraglos so wertvoll, dass sich viele Außenstehende um den Besitz stritten, um den Erhalt des Palais und deren Einwohner weniger!

Da hatten ein paar Einwohner im Palais – eine Handvoll davon – eine gute Idee. Die sagten sich: „Wir tun uns zusammen und bewirtschaften unsere Wohnungen und Zimmer in einer gemeinsamen Einheit, das macht uns stärker im Verhandeln mit den Außenstehenden und auch mit den übrigen Einwohnern."

Und das machten sie dann auch, während die restlichen Einwohner ungläubig zuschauten. Diese waren nämlich immer noch so mit sich selbst beschäftigt, oder so unter dem Druck der Außenstehenden, dass sie die Situation nicht einschätzen konnten.

Zuerst legte das neue eingeschworene Einwohnerteam ihr gesamtes Einkommen zusammen und machte einen Kassasturz, um festzustellen, über wieviel Vermögen es verfügte. Dann

117

wählte es Vertreter aus der Gruppe aus, die für die anderen sprechen und verhandeln durften, bestellte einen Vorstand, Stellvertreter, Kassenwart und weitere für Innen- und Umbau, Außenverhandlungen usw.

Auch mit den fremden Wachmannschaften machte es nur noch kurze Zeitverträge und stellte zur eigenen Sicherheit sukzessive eine eigene verlässliche Wachmannschaft auf.

Gleichzeitig stellte der Kassenwart eine Vermögens- und Einkommensübersicht zusammen und machte in Absprache mit seinen Kollegen einen Haushaltsplan für die nächsten Jahre und eine Rangfolge der notwendigen Reparaturarbeiten.

Und so arbeiteten sie im Laufe der Zeit Stück für Stück die Rückstände auf; anfänglich murrten die anderen Mitbewohner noch, mussten sie doch auch ihren Beitrag leisten, wollten sie in den Genuss der Reparaturarbeiten kommen, oder Zahlungen leisten für Umlagen wie Renovierung der gemeinsamen Hausbereiche wie Dach, Treppen, Aufzüge, Außenfassaden, aber auch Grundstücksbewirtschaftung, Sicherheitstechnik, Müll und Wege.

Mit der Zeit wurde das Palais immer prächtiger und wohnlicher, sodass auch die übrigen Einwohner den Wert der Gemeinschaft erkannten und ein Einwohner nach dem anderen der Gemeinschaft beitrat bis letztlich doch wieder alle ein Team waren. Jetzt hatten sie alle zusammen ein wunderschönes Palais, renoviert vom Dach bis runter in den Keller mit allem Schnickschnack inklusive komplett erneuerter Sicherheitstechnik, neue Wege, Tore und Zäune, das von allen bewundert und bestaunt wurde. Das Palais atmete Geschichte und viele Reisende von fernen Ländern kamen, um das stattliche Anwesen zu sehen und sich Anregungen zu holen.

Der Hütchenspieler im Seitenflügel jedoch, der die Tür zum Palais zugemauert hatte, staunte über die Einigkeit innerhalb der Bewohner und ärgerte sich sehr darüber, weil sich niemand an seinen Hütchenspielen beteiligte und er auch nicht mehr seine (völlig übelteuerte) Wachmannschaft verkaufen konnte. Aber es half nichts, er war jetzt draußen und musste für alle Kosten selbst aufkommen. Eine Zeitlang versuchte er noch, zusammen mit einzelnen Außenstehenden, gemeinsame Sache zu machen und die Einwohner auseinanderzudividieren, aber es half nichts, die Einwohnerschaft hielt zusammen.

Zu allem Überfluss geschah gleichzeitig noch etwas anderes, mit dem er gar nicht gerechnet hatte, Teile seiner eigenen Verwandtschaft kündigten ihm und mauerten nun selbst alle Türen zu ihm zu, sodass er nun ganz alleine mit einer übrig gebliebenen Kammer Vorlieb nehmen musste; es blieb ihm nur noch ein Eingang, über den er den Seitenflügel verlassen konnte, aber er musste immer noch über das Grundstück hinweg, unter der argwöhnischen Beobachtung der Wachmannschaft des Hauses. Naja, der Händler war bekannt als störrischer, „Cherry pickender" Hütchenspieler, vor dem man sich in Acht nehmen musste. Seine vormaligen Eliten waren nämlich alle zusammen trickreiche Krämer und eingefleischte Seeräuber gewesen und hatten sich auf diese Weise ferne Länder unter den Nagel gerissen. Er verlor sie zwar alle mit der Zeit, aber er wollte nicht locker lassen und versuchte es immer wieder mit teils abenteuerlichen Taschenspielertricks. Seine eigene Verwandtschaft schämte sich über alle Maßen und war dessen bald überdrüssig. Zunehmend erinnerten sie sich der alten Freunde im Palais und baten um deren Aufnahme in das Team, was ihnen alsbald gerne gewährt wurde.

Besonders aber schäumten die Außenstehenden, sahen sie doch ihre Felle davonschwimmen. Sie übten Druck auf die Einwohner des Palais aus, drohten ihnen, zuerst gegen alle, und als diese merkten, dass das nichts fruchtete, auf einzelne Einwohner, teilweise mit unwürdigen Methoden.

Aber es half nichts die Einwohner des Palais verstärkten nur ihre Wachmannschaften und ihre Sicherheitstechnik und bildeten so ein unüberwindliches Bollwerk gegen die Außenstehenden.

Weniger ist manchmal mehr

Und so steht es auch um die „EU der 27"; die aktuellen Interessen der einzelnen Nationalstaaten an einer VSE sind viel zu unterschiedlich, als dass sie unter einen Hut zu bringen wären.

Aber es hilft nichts, eine ausgewählte Anzahl von EU-Ländern muss sich zusammentun und eine supranationale Einheit aufbauen, bevor sie von anderen Mächten gespalten und in deren Interessenssphären auf- oder untergehen.

Diesen Ländern ist bewusst, dass der Spaltpilz auch in der EU der 27 selbst ist, an dem die außereuropäischen Völker leicht andocken können. Diesen ist auch bewusst, dass nur einheitliche Regelungen eine prosperierende Zukunft bieten und dass gemeinsames Handeln die inneren und äußeren Feinde auf Abstand hält.

Zu diesen einheitlichen Regelungen gehören grundlegende staatsrechtliche Körperschaften, die überhaupt ein funktionierendes Handeln erlauben, wie eine Verfassung, ein Parlament, eine Regierung, sowie diverse Systeme, die eine Regierung kontrollieren.

Europäische Bundesregierung, Bundeskammer, Bundesverfassung und VSE-Bundespräsident

Folgend möchte ich ein paar von mir formulierte Gedanken zu diesem Thema vorstellen. Viele geneigte Leser haben sicherlich selbst schon bestimmte Vorstellungen dazu. Es ist ja nicht so, dass alles hier vom Himmel gefallen ist, sondern, dass schon mehrere Generationen darüber ihre Gedanken festgehalten haben. Außerdem bestehen Gott sei Dank schon seit langer Zeit demokratische Regierungssysteme in vielen europäischen Ländern, um mir meine Meinung bilden zu können. Die Ideen sind nicht mehr als Visionen, die vielen und wichtigen Regelungen müssen in jedem Fall von erfahrenen Europarechtlern detailliert ausformuliert werden.

Es muss sich also eine Gruppe von Einzelstaaten finden, die so viel Vertrauen zueinander hat, dass sie bereit ist, eine supranationale politische Einheit zu bilden, die bereit ist nationale Kompetenzen an einen übergeordneten Bundesstaat abzugeben und die bereit ist eine supranationale Regierung zu akzeptieren, die von einer VSE-Bundeskammer zusammengestellt wird. Diese Gruppe formuliert auch eine gemeinsame Bundesverfassung auf Basis derer eine Bundesregierung berufen wird.

Diese Bundesregierung zusammen mit der Bundeskammer spricht und entscheidet für alle Bundesländer gemeinsam und zwar auf allen wichtigen Ebenen, die sind:

- gemeinsames Justizwesen
- gemeinsamer Gerichtshof (den europäischen Gerichtshof gibt es schon)
- gemeinsame Haushaltspolitik, Schuldenpolitik, -bremse
- gemeinsame Außenpolitik
- gemeinsame Sicherheitspolitik
- gemeinsame Wirtschafts- und Arbeitsmarktpolitik
- gemeinsame „Innenpolitik" (Verwaltung, Polizei, Gesundheit, Bildung, Strukturpolitik, Geheimdienste, überordnete Polizei gegen organisierte Kriminalität)

- weitere Ministerien nach Bedarf und Sinnhaftigkeit wie Umwelt, Agrarwesen etc
- klare Abgrenzung zu anderen globalen Nationen und Verbänden, ohne sich abzuschotten

Des Weiteren würde ich es sehr befürworten, wenn es eine Gewaltenteilung von

- Präsidentschaft und
- Regierungsgeschäften

gibt, wie es bereits bei vielen europäischen Staaten Praxis ist.

Eine Kopplung von Präsidentenamt und Kanzlerfunktion (Premierminister, President etc), also eines „Königs auf Zeit", sollte nicht verfolgt werden. Diese Art der Regierungsführung mit einem starken Präsidenten entspricht dem demokratischen Verständnis des auslaufenden 18. Jahrhunderts und zeigt am Beispiel USA, zu welchen inneren Spannungen es führen kann, wenn ein zu starker Präsident seine Rechte bis zur Grenze des Unerträglichen eigenmächtig ausdehnt. Es kann und darf nicht sein, dass ein gewählter Präsident seine demokratisch mögliche Abwahl überhaupt in Zweifel zieht. Wird er abgewählt, dann hat er zu gehen, ohne Wenn und Aber. Und wenn er von Bundeskammermandataren aus dem Amt hinausgetragen wird.

Auch Mehrheitswahlrechte (zum Beispiel in England „first past the post") oder mittels „Wahlmännern" oder zugeteilten Abgeordneten je Nation oder Region sind demokratische „Auslaufmodelle" aus dem 18. und 19. Jahrhundert und sollten keinesfalls weiterverfolgt werden, da sie zu teils horrenden Verzerrungen des Wahlergebnisses führen können.

Die letzte Wahl in England im Dezember 2019 zeigte augenfällig, zu welchen Ungleichgewichten das im Ergebnis führen kann; die Konservativen erreichten mit einen Stimmenanteil von nur 43,6 Prozent 365/650 Abgeordnete (56 Prozent), während zum Beispiel die Liberaldemokraten mit ca. 11,6 Prozent der Stimmen nur 11/650 der Abgeordneten-mandate (ca 1,7 Prozent) erhielten.
(Quelle: Wikipedia, Britische Unterhauswahl 2019)

So eine Unausgewogenheit ist eigentlich Gift für die Demokratie und sollte nicht in Erwägung gezogen werden.

Meines Erachtens sollen der Präsident und die VSE-Bundeskammer direkt von uns Europäern gewählt werden wie es in
vielen Staaten Europas der Fall ist. Das gibt Ihnen eine starke
Stellung gegenüber der VSE-Bundesregierung.

Der VSE-Bundespräsident:
Der VSE-Bundespräsident ist die höchste Funktion, die der
VSE-Bundesstaat zu vergeben hat; diverse nationale
Präsidenten, Könige und Königinnen können ihre „Hoheit"
(sofern überhaupt gewünscht) national ausüben, haben aber
keinerlei VSE-Repräsentationsbefugnisse, weder nach innen,
noch nach außen.

- Wahlperiode für 6 bis 7 Jahre
- direkt gewählt von allen Bürgern der VSE
- nach bestimmten Kriterien ausgewählte Bürger, stellen sich zur Wahl
- 1. Wahl bei mehreren Kandidaten
- 2. Wahl als Stichwahl, spätestens 4 bis 5 Wochen
  nach der ersten Wahl

Aufgaben
- präsentiert die gesamte VSE
- vertritt VSE nach Außen und Innen
- soll über den Parteien stehen
- beruft und entlässt die Bundesregierung nach
  Vorschlägen des VSE-Premierministers
- Oberster Verteidigungchef, ruft den Verteidigungs-
  fall aus gemäß Vorlage durch die Bundesregierung
- unterzeichnet Gesetzesänderungen als letzte Instanz
  bei Änderungen an der Verfassung

Die VSE-Bundesregierung (Government etc.)
- Partei mit den meisten Stimmen in der gewählten
  Bundeskammer stellt den Premierminister
- Parteikoalitionen sind zugelassen und erwünscht
- Premierminister lädt zu Koalitionsgesprächen ein

- Premierminister bestimmt Minister und Präsident beruft Minister
- Premierminister führt die Regierung und hat die Richtlinienkompetenz

Aufgaben
- Die Regierung arbeitet Gesetzesvorlagen aus und bringt die Vorlagen ins die Bundeskammer (Parlament)
- Der Premierminister vertritt die Bundesregierung und führt Verhandlungen mit anderen Nationen durch

VSE-Bundeskammer (Bundestag, Parlament, Nationalrat etc.)
Ist die direkt gewählte Vertretung der VSE-Bürger im VSE-Bundesstaat
- VSE-Bürger wählen VSE-Parteien direkt
  (kein Umweg über die Nationalstaaten, „Wahlmänner" oder Nationalstaatsparteien etc)
- VSE-Parteien schlagen Vertreter vor, in Form einer Liste, VSE-Bürger dürfen davon auswählen, streichen, priorisieren etc und die Parteien sind verpflichtet der gewählten Rangverteilung Folge zu leisten
- Ergänzend kann auch ein „Zweimandate"-Stimmrecht implementiert werden, eins für die Bundespartei, eins als Vertreter eines Wahlkreises (mit der Gefahr eines „Aufblähens" der Bundeskammer (siehe Deutschland)
- Wahlperiode für 5 bis 6 Jahre! (4 Jahre sind zu kurz)
- Eine VSE-Partei muss mindestens ca. 5 bis 6 Prozent der Stimmen haben, um in die Bundeskammer einziehen zu können (Sperrklausel)
- die Sitzverteilung erfolgt gemäß Stimmen-Verteilung gewählter Parteien
- Restmandate sollen nach bestimmten Kriterien aufgeteilt werden
- Die Partei oder eine Parteienkoalition mit den meisten Stimmen bildet die Bundesregierung, die restlichen Parteien die Opposition
- Die Partei mit den meisten Stimmen benennt den Premierminister

- Die Bundeskammer soll max. 500 bis 600 Sitze vergeben können

Aufgaben
- Die Bundeskammer beschließt Gesetze per Stimmenmehrheit, die von der Bundesregierung eingebracht werden, oder lehnt sie ab.
- Die Bundeskammer kann auch „eigeninitiativ" bei Gesetzesvorlagen werden, allerdings nur bei einer bestimmten Mindestanzahl an Mandataren
- Gesetzesvorlagen, die die Verfassung berühren, oder gar verändern, bedürfen der 2/3-Mehrheit aller Mandatare
- Von der Nationenkammer in erster Lesung abgelehnte Gesetzesvorlagen führen in zweiter (positiver) Lesung zur Gesetzesbindung.

VSE-Nationenkammer (Staatenkammer, Senat etc.)
Die VSE-Nationenkammer stellt die Vertretung der Nationen/Staaten auf der Bundesebene dar und soll gleichzeitig die Bundeskammer und die Bundesregierung kontrollieren.

- Vertreter der Nationenkammer werden von den einzelnen Nationen berufen
- je volle 1 bis 2 Millionen Einwohner und Nation ein Kandidat (damit sich die Nationenkammer nicht zu sehr aufbläht)
- Die Kandidaten sollen in etwa die nationale Parteienstruktur abbilden
- Restmandate sollen nach bestimmten Kriterien aufgeteilt werden.

Aufgaben
- Einbringung von Gesetzesvorlagen, ausschließlich die Staaten betreffend
- Gegenlesung aller in der Bundeskammer beschlossenen Gesetze und gegebenenfalls einer einmaligen Ablehnung und Rücksendung in die Bundeskammer; eine grundsätzliche Ablehnung von Bundesgesetzen hat die Nationenkammer nicht,

- außer es sind Gesetzesvorlagen, die die Verfassung berühren, oder gar verändern. In diesem Fall muss auch in der Nationenkammer eine 2/3-Mehrheit zur Gesetzgebung gefunden werden.

Es ist ausdrücklich festzuhalten, dass die Nationenkammer nicht die gewählte Nationenvertretung in den Nationen/Regionen ist; diese Wahlen finden in den Nationen selbst statt und sollen nach einheitlichen Regeln ablaufen. Eine Vertiefung erfolgt hier (noch) nicht.

Die ursprüngliche EU, also die „EU der (ehemaligen) 27" kann ja durchaus bestehen bleiben. Die oben genannten VSE sind halt dann ein Teil davon, ebenso der Euro als Währungseinheit.

VSE-Bundesverfassung (Constitution, Grundgesetz etc.)

Meines Erachtens ist es von Grund auf wichtig, dass eine gemeinsame Verfassung die Basis für die VSE sein muss. Verfassungen gibt es ja bereits in vielen neuen Demokratien in Europa, lediglich England kommt meines Wissens ohne aus, aber England spielt hier ja keine Rolle mehr, will es doch allein die Weltmärkte beglücken und für freien Handel (nach englischer Vorstellung) sorgen und ihre Hütchenspiele, wie in der Vergangenheit auch, wiederbeleben.

Das Verständnis über Verfassungen ist also in Europa vorhanden und das kann durchaus die Grundlage für deren Erstellung sein, ohne „in statu nascendi" beginnen zu müssen. Ich bin mir sicher, dass „eine Handvoll" europäisch denkender Staatsrechtler sehr schnell und präzise eine solche formulieren kann. Diese muss dann zur Gründung der VSE diskutiert und abgestimmt vorliegen.

Weitere wichtige Staatsorgane:

Es gibt natürlich noch viele weitere wichtige Staatsorgane wie zum Beispiel eine Art

- Verfassungsgerichtshof zur Kontrolle der gesetzgebenden Organe
- Oberster Gerichtshof (Supreme Court, europäischer Gerichtshof)
- Ministerien
- Klärung von VSE-rechtlichen und nationenrechtlichen Belangen
- etc.

Aber da mache ich mir derzeit keine großen Sorgen, Europa wird ja nicht erst „seit gestern" in den meisten Ländern demokratisch regiert, das heißt, es ist genügend Wissen in den Ländern vorhanden, eine präzise und wirkungsvolle Struktur der notwendigen Verfassungsorgane aufzubauen.

So nebenbei besteht auch die große Chance vor der Gründung der supranationalen VSE nochmals alle vorhandenen Strukturen zu durchforsten und anzusehen, und dann das Beste für die VSE rauszupicken. Eine wahrlich einmalige Chance! Die VSE hätte dann, so nebenbei, die beste und modernste Verfassung der Welt, welch ein Geschenk!

<u>Offen für weitere EU-Staaten und Staaten, die sich zur VSE bekennen</u>

Diese Gruppe, von jetzt an VSE-Bundesstaaten, soll der Nukleus und die Einladung an weitere europäische Länder sein, in die VSE aufgenommen zu werden, sofern sie sich zu den Regeln der VSE bekennen.

Ich finde es aber wichtig zu betonen, dass neue Mitglieder nur akzeptiert werden, wenn sie auch vollinhaltlich die Verfassung der VSE anerkennen – ohne Wenn und Aber! Es sollte ähnlich ablaufen wie einst die Vereinigung von BRD und DDR im Jahr 1990, also ein Beitritt ohne langwierige Verhandlungen, Diskussionen, Rosinenpickereien oder hinterlistige Hütchenspiele, also ein klares politisches Bekenntnis des neuen Landes zur den Verfassungsorganen der VSE.

Gründung der VSE

Und dabei würde ich mir wünschen, wenn ich denn überhaupt Wünsche äußern darf, dass die beiden maßgeblichen europäischen Länder Deutschland und Frankreich die führende Rolle übernehmen und den Antriebsmotor darstellen beim Zusammenfügen einzelner europäischer Länder zu einem einheitlichen Ganzen, den Nukleus bilden beim gemeinsamen Erstellen der notwendigen Verfassungsdokumente für die „Vereinigten Staaten von Europa". Ohne Frankreich und Deutschland im Tandem wird es keine VSE geben, da bin ich überzeugt. Nur diese beiden Länder zusammen können verhindern, dass Europa auseinander bricht, also sich in zwei oder mehrere Blöcke zerteilt.

Ich weiß, das ist eine große Herausforderung an diese beiden Länder, oder besser an die Politiker dieser beiden Länder, müssen sie doch praktisch über ihren eigenen Schatten springen.

Mögliche Bedrohungen der VSE

Trotz aller Euphorie habe ich leider das Gefühl, dass unsere aktuellen nationalen Politiker immer noch viel zu nationalstaatlich denken und viel zu zaghaft an eine europäische Gesamtlösung herangehen wollen und die aktuellen politischen Strukturen, auch die europäischen, noch viel zu nationalstaatlich organisiert sind. Nationalstaatspolitiker und Nationalstaatsstrukturen sind gewissermaßen eine Einheit, die wenig oder vielleicht gar kein Interesse an supranationalen Regierungssystemen haben und die gewissermaßen die VSE eher als eine Bedrohung ihrer Macht, als einen Gewinn sehen.

Ein Beispiel für das Misslingen der VSE durch die aktuellen Nationalstaatspolitiker ist die Bereitstellung des Corona-Fonds mit den typischen und unwürdigen Feilschereien um Einflussnahme und Verteilungsquoten. Und dabei ist für mich die Frage des ob (also das Einrichten eines Corona-Fonds selbst) gar keine Frage, sondern wie mit den bereitgestellten

Mitteln umgegangen wird. Es ist klar, dass Europäer Europäern helfen müssen, das steht außer Frage.

Die Frage stellt sich aber, nach welchen Kriterien das viele Geld verteilt wird. Es kann nämlich nicht sein, dass die Corona-Hilfe einfach so nach Quoten an bedürftige EU-Länder verteilt wird, ohne jegliche Rückkoppelung und Feststellung der Bedürftigkeit. Es kann nicht sein, dass von der EU bereit gestellte Gelder ohne jegliche Kontrolle durch die EU an die Länder der EU überwiesen werden. Es kann nicht sein, dass die Organschaft der EU keinen Einfluss über die Verteilung der Mittel sowie deren Verwendung hat. Wie oft schon sind speziell in einigen bekannten südlichen und auch östlichen Ländern EU-Mittel sprichwörtlich „versandet". Da hat der niederländische Ministerpräsident Rutte wirklich Recht, hier *muss* mehr europäische Kontrolle stattfinden.

Hier, so wie in vielen Fällen in der Vergangenheit auch, haben fast immer unsere Nationalstaatspolitiker versagt, weil sie sich nicht in ihre nationalen „Karten" schauen lassen wollen. Sie wollen erhaltene Geldmittel nach Gutsherrenart an ihre Klientel verteilen, ohne äußere Kontrolle durch die Organe der EU.

Da ist natürlich eine VSE eine Bedrohung für sie. Sie müssten sich einer supranationalen Regierung stellen und ihr über die Verwendung der Geldmittel Auskunft geben. Sie könnten dann nicht mehr ihr nationales Süppchen kochen, sondern müssten über „Soll und Haben" Verantwortung übernehmen.

Jeder deutsche Staatsbürger versteht, was ich meine, weil gerade in Deutschland der Föderalismus irrwitzig ausgeprägt ist. Am Beispiel der Bildungshoheit der Länder wird diese „Föderalitis" besonders augenfällig. Obwohl von Flensburg bis Berchtesgaden Deutsch unterrichtet (und gesprochen) wird, gibt es 16 Kultusminister, die sich um die gleiche deutsche Sprache kümmern. Da wollen sich also 16 teure und aufwändige Kultusministerien um den gleichen Sachverhalt kümmern und sollen sich auch noch mit dem Bundesbildungsministerium abstimmen. Dabei weiß doch jedes Kind, dass „viele Köche den Brei (eher) verderben", als dass sie ihn verbessern, in der KuK (Kultusministerkonferenz) herrscht meist eine langwierige und fast biblische „Kakophonie". Jeder Kleinkönig doktert an irgendwelchen Bildungsreformen herum zu Lasten der Lehrer und Schüler. Und das gleiche gilt für Geschichte, Erdkunde sowie für alle Fremdsprachen.

Deutschland braucht natürlich auch die 16 Kultusminister, weil wohl alle naturwissenschaftlichen Gesetze der Mathematik, Physik, Chemie, Biologie etc in Hamburg völlig andere sind, als in Frankfurt oder Stuttgart. Ich frage mich dabei immer, wie es der Lufthansa gelingt, dass tagtäglich dutzende Jets sowohl in Bremen, Frankfurt oder München starten und landen können, wo doch die naturwissenschaftlichen Gesetze zwischen Nord- und Süddeutschland offensichtlich so unterschiedlich sind und dafür den Sachgrund für die 16 Kultusminister bilden.

Nein, das weiß auch ein jeder deutsche Staatsbürger, hier geht es nicht um den Sachgrund, nämlich unterschiedliche Lerninhalte in den 16 Ländern, sondern ausschließlich darum, dass die Damen und Herren Ministerpräsidenten der Länder zusammen mit ihren Ministern und Apparaten an ihren politischen Pfründen festhalten wollen und kein Jota davon an die Bundesebene abtreten. Es geht ausschließlich um den Machterhalt der 16 Kleinkönige und Fürsten, koste es für den deutschen Steuerzahler, was es wolle. Hier geht es nur und ausschließlich um Macht und nicht um Ratio.

Dasselbe gilt auch für die Gesundheitspolitik; sie ist auch Ländersache, Frau Merkel und Herr Spahn dürfen nur moderieren. Und zahlen! Die aktuelle Coronapandemie zeigt es wieder überdeutlich, statt dass es ein deutsches Gesundheitsministerium gibt, das für das ganze Land zuständig ist, gibt es 16 Ministerien, die in einer Gesundheitskakophonie für die Länder teilweise völlig unterschiedliche Regelungen anordnen.

Dieser Wahnsinn hat Methode, wahrscheinlich kommt aus diesem Grund von deutschen Politikern keine Vision zu einem neuen Europa, sie leben ja tagtäglich diese „Föderalitis" durch. Da ist kein Platz für neue europäische Ideen.

Und so wie es im Kleinen in Deutschland läuft, so läufts auch auf der europäischen Ebene; kein Regierungschef möchte auch nur ein bisschen von seiner Macht zugunsten einer supranationalen Regierung abgeben.

Auch unsere Medien sind nationalstaatlich organisiert

In diesem Sinne empfinde ich auch unsere Medien, es wird viel zu viel über Nationales berichtet und viel zu wenig über europäische, also unsere gemeinsamen, Belange. Ich kenne zum Beispiel keine Zeitung, die wirklich europäisch aktiv ist. Es gibt die Bild, die Frankfurter Allgemeine, die Süddeutsche, den Spiegel in Deutschland und Le Monde, Le Figaro in Frankreich oder El Pais und El Mundo in Spanien, um nur ein paar national bekannte neben vielen anderen zu nennen, aber keine einzige, die supranational aktiv wäre.

Warum, nach gefühlt 100 Jahren EU, gibt es zum Beispiel immer noch kein europäisches Fernsehen, neutral von der EU gesamt finanziert, das täglich Nachrichten zur selben Stunde in den EU-Ländern und deren Sprachen vorträgt, durchaus zur wichtigen Sendezeit wie 19 Uhr oder 20 Uhr?

Gut, es gibt zum Beispiel Arte-TV, das Kulturbeiträge mit wohl bis zu sechs sprachlichen Untertiteln sendet, oder es gibt 3SAT, das in Deutschland, Österreich und der Schweiz empfangen werden kann. Aber das sind lokale Einzelfälle und haben nicht wirklich mit der EU etwas zu tun.

Die EU hat für alles Geld, aber für eine europäische Berichtserstattung fehlt es, warum? Ich glaube einfach nicht, dass es nicht möglich wäre, so etwas wie eine europäische Sendezentrale aufzubauen, in der Moderatoren aus allen europäischen Ländern beisammen sind und gemeinsam, tägliche Sendungen zusammenstellen, um den gleichen Inhalt in ihren Landessprachen vorzutragen. Ich glaube einfach nicht, dass das der EU so viel kosten würde.

Der neue EU-Haushalt von 2021-2027 kostet dem europäischen Steuerzahler ca. 1.074,3 Mrd. € plus 750 Mio. € für den neuen Corona-Fonds, zusammen also ca. 1.824,3 Mrd. €. (Quelle, www.consilium.eu)

Da soll mir keiner erzählen für eine gemeinsame EU-Sendezentrale wäre kein Geld da.

Zum Vergleich, die staatlichen Sender in Deutschland, also ARD, ZDF und Deutschlandradio hatten zusammen Erträge von ca. 8,1 Mrd. € in 2019.
(Quelle, Statista.com)

Wenn alle 27 EU-Staaten nur geschätzt 5% ihrer nationalen Rundfunkeinnahmen an einen EU-Sender abträten, dann käme sicherlich eine so hohe Summe zusammen, dass spielend eine supranationale Sendeinheit für alle EU-Mitglieder bezahlt werden könnte.

Ich glaube, dass diese Überlegung von mir gar nicht neu ist, sondern sicherlich schon des Öfteren ventiliert wurde, weil diese Idee eigentlich auf der Hand liegt, aber warum ist sie noch nicht realisiert worden?

Ich glaube einfach, dass unsere Nationalstaatspolitiker das nicht wollen. Sie wollen nicht, dass eine supranationale Medienstation neutral über sie berichtet, da könnten dann ja vielleicht unsere polnischen Mitbürger erfahren, wie über ihr aktuelles Politsystem außerhalb Polens gedacht wird. Da könnten dann ja unsere italienischen Mitbürger erfahren, wie es um ihre Staatsfinanzen steht, da könnten dann ja unsere ungarischen Mitbürger erfahren, wie es um die demokratischen Rechte in Ungarn bestellt ist. Und da könnten ja unsere französischen und deutschen Mitbürger erfahren, wie es um die europäischen Gemeinsamkeiten unserer Nationalpolitiker steht. Nein, solche Informationen sind nicht gewünscht.

Des Weiteren, egal welche TV-Sendung man sich ansieht, egal welche Talkshow mit diversen „Anchormen oder -women" man sich anhört, in den überwiegenden Diskussionen geht es um nationalstaatliche Themen; und wenn es manchmal um Europa geht, dann diskutieren meist wieder nur Nationalstaatspolitiker, welche über Europa je nach politischer Farbe den Daumen heben oder senken. Es wird palavert, was Europa alles tun könnte oder sollte oder gar alles falsch macht, dabei sind es gerade diese Nationalstaatspolitiker, die kein Jota von ihrer Macht zugunsten eines gesamteuropäischen Regierungssystems abgeben möchten.

Dieses unwürdige Spiel wird eben wieder im Rahmen der Flüchtlingspolitik gespielt, Frau Merkel als derzeitige Ratssprecherin soll es richten, dabei hat sie doch gar keinen Einfluss auf die anderen Staatslenker. Weder ein Herr Kurz in Österreich und schon gar kein Herr Orban von Ungarn lassen sich von Frau Merkel etwas diktieren.

Da sitzen dann die friedensbewegten Gutmenschen der Grünen und Sozialisten Deutschlands in den Talkshows und fordern lautstark, dass Deutschland etwas tun müsse, wohl wissend, dass das eine europäische Aufgabe ist und Deutschland allein wenig, oder gar nichts bewegen kann; im selben Atemzug müssen sie aber zugeben, dass die Grünen in Österreich auch keine Flüchtlinge aufnehmen wollen. Dieses „Blame Game" hat System und ist wirklich unwürdig und verlogen.

Ich frage mich wirklich, warum unsere „Anchormen und -women" europäische Themen so selten aufgreifen? Und wenn sie es tun, dann so, als wäre die EU ein Ausland wie die USA oder China auch. Da steht dann ein Berichterstatter in Brüssel und könnte genauso gut in Washington vor dem Weißen Haus oder dem Kapitol stehen. Kann es sein, dass unsere Moderatoren, zum Beispiel von den nationalen Sendern ARD und ZDF indirekt abhängig sind von nationalen Politikern, die in den diversen Rundfunk- und Fernsehgremien sitzen, und die genau hinsehen, wie sie von den Moderatoren angefasst werden?

Auf der anderen Seite wurde Herrn Murdoch, Eigentümer von Sun ein Spruch in den Mund gelegt, als er gefragt wurde, warum er (das heißt seine Zeitung Sun) so gegen die EU sei, er meinte, in „Downing Street" kenne ihn jeder, in Brüssel niemand, wenn er ein Problem hätte.

Und in dieser Denke empfinde ich auch unsere Medien. Jedes nationale Medium hat mehr Einfluss auf nationale Politiker und deren Regierung und will diese auch nicht abgeben. Insofern ist auch mein Vertrauen in die nationalen Medien nicht ungetrübt.

Auf gewisse Weise bilden daher, meiner Meinung nach die nationalen Politiker und die nationalen Medien eine sich selbst vergewissernde Schicksalsgemeinschaft. Nationale Politiker und Moderatoren spielen sich trefflichst die Bälle hin und her und eine europäische Vision fällt unter den Tisch.

Wie kommen wir – vielleicht – voran?

Im Beratungswesen ist ein Spruch so platt wie wahr: „Willst Du den Sumpf trockenlegen, darfst du nicht die Frösche fragen!" Und das gilt nach meinem Empfinden auch für die EU.

Deshalb denke ich, dass diesmal der Impuls zu den VSE von der europäischen Bevölkerung, also von uns selbst ausgehen muss, in Form einer Revolution von unten sozusagen. Ich bin der Überzeugung, dass die Gründung der VSE ausschließlich auf dem Druck der europäischen Bevölkerung stattfinden wird und nicht auf Basis der unzähligen national denkenden und handelnden Politiker und Medien.

Wie bereits vorigen Kapiteln beschrieben, hat im Jahre 2011 das Medium „Zeit-Online" (02.09.2011) eine Meinungsumfrage veröffentlicht, bei der circa 35 Prozent der deutschen und sogar circa 44 Prozent der französischen Bevölkerung ja gesagt haben zu den „Vereinigten Staaten von Europa". Ich finde, das ist damals schon ein beachtliches Ergebnis gewesen und zeigt, dass bereits einem hohen Anteil der Bevölkerung in Deutschland und Frankreich die Notwendigkeit der VSE bewusst gewesen ist. Mir ist eigentlich schleierhaft, warum unsere Politiker nicht darauf aufgebaut und weitergearbeitet haben. Es wurde auch bereits an einer europäischen Verfassung gearbeitet, aber alles wurde bald klammheimlich und still wieder eingesammelt.

Liebe europäische Mitbürger und Mitbürgerinnen, wir müssen diese Aufgabe selbst in die Hand nehmen und deshalb sage ich, in Abwandlung des marxistischen Aufrufs: „Proletarier aller Länder vereinigt euch", wir sollten rufen:

„Europäer, lasst uns gemeinsam handeln!"

Wie ein Wandel oft nur durch Druck stattfinden kann, so werden auch in diesem Fall die nationalen Beharrungskräfte nur durch Druck (von uns Europäern) überwunden werden können.

Ich meine, wir müssen in den Nationalstaaten eigene Europa-Parteien gründen, die supranational geführt werden, aber nicht in der Weise, wie es heute die Nationalstaatsparteien bereits praktizieren. Es gibt ja heute schon europäische Parteien, wie zum Beispiel die EVP (Europäische Volkspartei), die eine Koordinierungsfunktion der meisten konservativen National-parteien im Europäischen Parlament hat. Die EVP selbst hat aber gar keine Entscheidungsbefugnis, sondern ist nur koordi-nierend tätig; die politische Macht ist nach wie vor bei den nationalen Parteien angesiedelt. Die Staateritis lässt grüßen. Sozialistische und grüne Parteien sind ähnlich organisiert.

Mit dieser Parteienstruktur kommen wir nicht voran, auch nicht in den vorhandenen europäischen Gremien. Die Staateritis hat das gesamte europäische System durchseucht und scheint nicht Willens, das auch zu ändern. Das zeigt auch der Zeitraum, der zwischen der vorstehenden Umfrage (2011) bis heute vergangen ist. Es ist praktisch nichts passiert. Oder wie hat Herr Orban selbstherrlich triumphiert, als der Rechts-staatlichkeitsparagraph des EU-Parlaments wieder einkassiert wurde: „Es hat die Allianz der Länder über die Brüsseler Bürokratie gesiegt". So viel Unverschämtheit muss man sich vorstellen! So viel Verachtung vor den EU-Institutionen, so klar auszusprechen, ohne dass irgendwer was dazu meint, da gehört schon eine gehörige Portion Dreistigkeit dazu. Aber Orban kann so reden, weil eigentlich jeder nationale Chef so denkt, es ist kaum einer, der die EU-Gremien für voll nimmt, weil alle Chefs denken: „Wasch mir den Buckel, mach mich aber nicht nass dabei!"

Dabei ist ja eigentlich alles da. Es gibt die Europäische Kommission (also quasi die europäische Regierung), das Europäische Parlament (also quasi das Parlament), aber die beiden Institutionen haben eigentlich nichts zu sagen, weil einerseits der Europäische Rat (der Rat der nationalen Regierungschefs) die Mitglieder der Europäischen Kom-mission bestimmt und nicht das Europäische Parlament und andererseits der Europäische Rat einstimmig Entscheidungen trifft, also wiederum die Chefs der nationalen Staaten.

Die Art der Wahl von Frau Von der Leyen zur neuen Kommissionspräsidentin ist nur ein (wiederholtes) Beispiel für die Ohnmacht des Europäischen Parlaments. Allein die nationalen Regierungschefs haben das Sagen, sie kungeln unter sich aus, wer etwas wird im Brüsseler Regierungsbetrieb. Es ist eigentlich eine wirkliche Schande, diesem unwürdigen Treiben als europäischer Bürger zusehen zu müssen.

Dabei habe ich persönlich ehrlicherweise gar nichts gegen Frau von der Leyen einzuwenden. Ich finde, sie ist eine gute Politikerin und sicherlich auch eine überzeugte Europäerin.

Einzig die Art der Präsidentschaftszuteilung finde ich wirklich aus der Zeit gefallen und muss dringend abgeschafft werden. Das Ritual kommt mir so vor, wie vormals die Kurfürsten im Reich den deutschen Kaiser kürten. Die haben solange unter sich gekungelt, bis sie den schwächsten unter sich fanden.

Frau von der Leyen kann ja eigentlich nichts bewegen, sie kann Themen anstoßen, sie kann Diskussionspunkte moderieren, aber entscheiden kann sie wirklich nichts; sie ist eine Marionette des Europäischen Rats.

Und das ist fatal, weil es tatsächlich so ist, dass wir in Europa eine starke EU-Regierung brauchen, die Visionen von Europa hat, die etwas bewegt, die führt und strategische Probleme nicht nur anspricht, sondern auch anpackt.

Und nochmals rufe ich Euch zu liebe europäische Mitbürger und Mitbürgerinnen, in Abwandlung von Willy Brandts Spruch im Jahr 1969 „Wir wollen mehr Demokratie wagen", rufen wir:

„Wir Europäer wollen wieder mehr Europa wagen!"

Es ist die Zeit gekommen, dass wir neue Politiker wählen, die Visionen von einem zukünftigen Europa haben und keine blutleeren Nationalvertreter, die nur in ihren Parlamenten ihre Zeit absitzen und unsere europäische Zukunft stehlen wollen.

Vision 2:

<u>Gründung von „Europaparteien" und „Europamedien" in den Nationalstaaten</u>

Das muss meines Erachtens so aufgelöst werden und trifft sicherlich so manchem Nationalpolitiker ins Herz, aber die vorhandene EU-Struktur hat sich überlebt.

Weil aber solche komplexen Strukturen nur im Kleinen und langfristig geändert werden können, bin ich für die individuelle Gründung von Europaparteien in den Nationalstaaten, die aber per Gründungsurkunde verpflichtet sind supranational zusammenzuarbeiten (siehe dazu unten, Grundanforderungen an eine Europa-Partei). Der lange Weg durch die Institutionen ist unvermeidlich.

Ich weiß, das klingt für viele utopisch, weil sich wohl nur wenige einheitliche Europaparteien vorstellen können, aber es ist meines Erachtens der einzige Weg die vorhandenen europäischen Strukturen aufzubrechen und gleichzeitig die nationalen Egoismen zu überwinden.

Es gibt auch schon ein erstes zartes Pflänzchen; derzeit gibt es eine Partei VOLT, die versucht europaweit aufzutreten. Sie hat auch schon einen ersten Sitz im EU-Parlament ergattert. Eine Schwalbe macht noch keinen Sommer, aber ein Anfang ist gesetzt; den Parteinamen selbst finde ich aber ein bisschen sperrig.

Die Grünenbewegung in Deutschland Anfang der 1980er-Jahre ist für mich ein gutes Beispiel wie aus einer reinen Bewegung im Laufe der Jahrzehnte eine veritable und einflussreiche Partei geworden ist. Ihr Marsch durch die deutschen Institutionen war mit Erfolg gekrönt. Wenn sie aber, nach meiner Meinung, so in ihrem Nationalstaatsgehabe weiter macht, und sich nicht zu einer veritablen europäischen Partei umwandelt, wird sie wie viele andere Parteien, langfristig nicht überleben.

Warum sollte es uns Europäern nicht gelingen wollen Europaparteien aufzubauen? Wie die oben gezeigten Umfragecharts eindrucksvoll beweisen, gibt es in vielen Ländern Europas genügend Bürger, die sich ein gemeinsames, supranationales Europa wünschen, weil sie erkannt haben, dass das Europa von heute, zukünftig so keine oder wenig Chancen haben wird. Ich bin überzeugt, dass es viele Bürger gibt, die längst unseren nationalen Politikern gedanklich vorausgeeilt sind, weil sie sehen, dass sie von den Politikern in die falsche Richtung geführt werden, weil sie sehen, dass nationale Eifersüchteleien nur Europa, und damit uns alle, schwächt, weil sie sehen, dass die nationalen Politiker nur ihre (nationalen) Posten vertreten und verteidigen und nicht das große Ganze (Europa) im Blick haben.

Eine gemeinsame Europapartei sorgt auch dafür, dass in Europa mehr miteinander gesprochen wird und weniger übereinander, weil in einer solchen europäische Fragen im Vordergrund stehen und nicht nationale oder gar regionale. Natürlich sind nationale oder regionale Fragen wichtig, aber sie dürfen sich nicht so in den Vordergrund drängen, dass die supranationalen Themen vom Tisch fallen.

Eine gemeinsame Europapartei sorgt auch indirekt dafür, dass verstärkt supranationale Themen in den Nachrichten erscheinen und könnte eine Anregung sein, supranationale Medien zu gründen, weil mit Sicherheit dafür ein Markt entsteht.

Ich sehe da die Möglichkeit, dass ein und derselbe Text in den Medien in unterschiedlichen Sprachen gedruckt wird, ähnlich der europäischen Dokumente in Brüssel und Straßburg.

Eine gemeinsame Europapartei senkt auch die Vorurteile der Länder gegeneinander, weil viel mehr auf der unteren politischen Ebene miteinander gesprochen wird, also auf der Ebene der Bürger und weniger auf der Ebene der (National)-Politiker und der sogenannten Eliten, die mehr übereinander sprechen wie zum Beispiel der italienische Politiker Salvini oder der jetzige Politiker Conte, die vorwiegend Fehler bei der EU verorten, als die Reformunfähigkeit in ihrem eigenen Land anzusprechen.

Eine gemeinsame Europapartei senkt auch die vermeintlichen Ängste der einzelnen Länder zueinander, weil die Menschen erkennen, dass sie unbegründet sind, sondern vielfach nur von den jeweiligen nationalen Eliten oder (National-)Politikern geschürt wurden, um wiederum von den eigenen Schwächen abzulenken, anstatt die objektiv vorhandenen nationalen Probleme anzupacken.

Gerade der Brexit hat auch gezeigt, wie gefährlich es ist, wenn ein Dauerfeuer von Halbwahrheiten und Falschmeldungen auf ein Volk herunterprasselt und zwar Hand in Hand von Politikern und den nationalen Brexit-Eliten mit den Medien. Ich wage zu behaupten, dass, bei einer rechtzeitig gegründeten Europapartei vor der Brexit-Wahl im Juni 2016 sich die Waagschale zugunsten der EU geneigt hätte.

Sicherlich werden jetzt viele sofort einwenden, dass das alles nicht funktionieren wird, weil wir ja so viele Sprachen sprechen und verschiedene Kulturen in Europa haben, aber da kann ich einwenden, dass bereits im vorhandenen Europaparlament die Mehrsprachigkeit geübte Praxis ist und wir seit Jahrzehnten einen außerordentlich gut funktionierenden gemeinsamen Markt haben, der sogar auf anderen Kontinenten eine große Beachtung findet – und das alles bei der Mehrsprachigkeit in Europa. Außerdem gibt es unzählige Unternehmen in Europa, die überregional, also europäisch oder gar global wirtschaftlich erfolgreich tätig sind.

Des Weiteren fällt mir ergänzend ein Land ein, in dem die Mehrsprachigkeit seit Jahrhunderten Programm ist – die Schweiz. Französisch steht neben Deutsch, italienisch und rätoromanisch. Und die Schweiz lebt prächtig damit, und niemand wird ernsthaft behaupten wollen, dass es um die Schweizer und deren Wirtschaft schlecht bestellt ist.

Warum also soll die Mehrsprachigkeit ein Problem darstellen. Ich bin der Überzeugung, dass dieses Argument nur vorgeschoben ist, um die nationalstaatlichen Systeme aufrechterhalten zu können, damit die (National-)Politiker weiter ihre Pfründe behalten dürfen.

Und wie sieht es mit der unterschiedlichen Kultur in Europa aus? Ja natürlich, die gibt es! Aber ist das ein Grund die nationalen Egoismen aufrechtzuerhalten? Sind nicht vielmehr diese Unterschiede das Salz in der Suppe unseres europäischen Kontinents? Werden wir nicht oft beneidet um diese Verschiedenartigkeit? Und gibt es nicht jetzt schon in den Nationalstaaten selbst unterschiedliche Kulturen und ist doch eine Nation?

Nehmen wir Deutschland her, da sind die Bayern historisch den Tirolern und generell Österreichern ethnisch näher, als den Friesen oder Holsteinern und alle sind Deutsche oder schauen wir nach Italien, da sind auch die Südtiroler ethnisch den (Nord-)Tirolern und Bayern näher, bilden aber mit den Süd- und Mittelitalienern einen Staat.

Nein, gerade eine supranational gegründete Europapartei kann diese nationalstaatlichen Animositäten überwinden helfen, weil sie das Nationalstaatliche von vorne herein aus der Diskussion nimmt und alle zu gleichgestellten europäischen Bürgern macht, mit den gleichen Rechten, Möglichkeiten, aber auch Pflichten. Alle sind zuerst europäische Bürger und dann erst Franzosen, Spanier, Deutsche etc.!

Und so habe ich ein paar Grundanforderungen an die Europa-Partei (E-Partei) zusammengefasst. Sie beruhen auf (negativen) Erfahrungen, die speziell in Ländern aufscheinen, die schon unter einem hohen Maß an Föderalismus leiden (kein Anspruch auf Vollständigkeit).

Grundanforderungen an eine Europa-Partei

- Gründung einer supranationalen Europa-Partei sowie eines supranationalen Parteiführungsgremiums, das die europäischen Gedanken und Leitlinien definiert und die nationalstaatlichen E-Parteien führt und koordiniert; diese Leitlinien müssen dann von den nationalen E-Parteien übernommen und umgesetzt werden.
- Identische Parteistruktur (gleiche Parteisatzung, gleiches Parteiprogramm) in allen Ländern als Voraussetzung für die zukünftige Gründung einer supranationalen Partei im neuen „europäischen Parlament" der VSE zur Vermeidung von nationalen Alleingängen.
- Das supranationale Parteigremium stellt die einzige Entscheidungsebene der Partei dar. Länder E-Parteien sind reine Vollzugsparteien; sie dürfen kein Eigenleben entwickeln, schon gar nicht gegen die supranationalen Statuten der Europa-Partei
- vollständiges Bekenntnis zu einer zukünftigen „europäischen Verfassung".
- Alle Parteimitglieder sind grundsätzlich zuerst Mitglieder der supranationalen Europa-Partei und erst in zweiter Linie Parteimitglieder auf nationaler Ebene; alle Parteimitglieder können daher nur von der supranationalen Europa-Partei aufgenommen oder ausgeschlossen werden.
- Gründung eines supranationalen internen Parteischiedsgerichts und Anerkennung durch alle nationalen E-Parteien sowie deren Mitgliedern.
- Klare Zustimmung aller Parteimitglieder „nationale Alleingänge" auszuschließen und eine Mahnung bis hin zum Ausschluss durch das supranationale Parteischiedsgericht zu akzeptieren.
- Das alleinige Vorschlags- und Festlegungsrecht der supranationalen Parteiführung bei der Auswahl von Europa-Abgeordneten auch bereits während der Übergangszeit im existierenden Europaparlament

143

- Mitspracherecht und letzte Entscheidungsinstanz der supranationalen Parteiführung bei der Abgeordnetenfestlegung in den Ländern.
- Mitspracherecht und letzte Entscheidungsinstanz der supranationalen Parteiführung bei notwendigen Koalitionsverhandlungen in den Ländern sowie auf Europaebene, um den gemeinsamen „Europagedanken" nicht zu verwässern.
- Unterstützung bei der Gründung einer supranationalen Medienlandschaft (Zeitungen, Magazine, EU-Staatsfernsehen, Internetauftritt etc) mit eindeutig europapolitischen Themen.
- Klare Zustimmung zur Auflösung der nationalen Europaparteien und Zusammenfügen in die einheitliche „Europa-Partei", sobald die VSE geründet sind.

Die VSE als sicherheitspolitische Einheit

Ein für Europa existentieller Faktor, der leider in der Vergangenheit vollkommen außer Acht gelassen worden ist, ist die Schutz des eigenen Territoriums; wir haben uns alle viel zu sehr auf die militärische Stärke und den Atomschutzschirm der USA verlassen.

Besonders Deutschland hat sich da ein recht behagliches Friedenseckchen ausgesucht, nach dem - für mich - etwas naivem Motto: „Vom deutschen Boden darf nie wieder Krieg ausgehen" (Welcher deutsche Politiker das auch mal gesagt haben soll, ich habe leider den Autor nicht eruieren können.) Ich kann verstehen, dass viele deutsche Mitbürger so denken, aber ich spreche auch nicht von Krieg, sondern vom Schutz des eigenen Territoriums. Das ist schon mal ein riesengroßer Unterschied. Man muss nicht aggressiv sein wollen, also einen Krieg anzetteln müssen, man braucht aber auch bitte schön handfeste Instrumente, um sein Friedenseckchen zu sichern.

Man *muss* sich sogar verteidigen wollen, will man nicht seine eigene Existenz in Frage stellen. Man muss Geld in Sicherheit investieren, will man nicht zum Vasallen eines anderen Staates werden. Meiner Meinung nach träumen unsere Nationalstaatspolitiker, meistens die von der linken Hälfte, einen Traum, der leider für die Deutschen und damit auch für uns Europäer zum Alptraum führen wird. Und speziell die (kommunistische) Linke Partei argumentiert für mich manchmal wie die fünfte Kolonne Moskaus.

Gerade eben hat der DGB (Deutscher Gewerkschaftsbund) wieder die Powerpoint-Hand gehoben und ein 10-Punkte-Programm gegen den vorgeschlagenen 2%-Verteidigungsetat verteilt.
(DGB, www.koeln-bonn/dgb.de, 10 Gründe gegen 2%-Ziel der NATO)

Und der beginnt mit den Argumenten *„Mehr Geld ist nicht mehr Sicherheit, #Gorch Fock, #Flugbereitschaft, #Beschaffungswesen".*

Also so viel stümperhaften Unsinn hätte ich dem DGB wirklich nicht zugetraut. Ich meine, wer so argumentiert, der „lässt alle (geistige) Hoffnung fahren" und bewegt sich auf Trumpschen Niveau. Ich möchte fast wetten, dass im DGB bereits die ersten Trolle aus Russland eingeschleust sind und „Vodka für alle" verteilt haben. Nur so lässt sichs erklären, dass das 2%-Ziel für Deutschland mit dem Verteidigungsetat Russlands (Punkt 3) verglichen wird. Wie steht es in der FAZ vom 15.06.2020:

„Ein privates Militärunternehmen erfüllt für Russland unangenehme Aufträge. Moskau leugnet seine Existenz. Doch die „Gruppe Wagner" ist in vielen Ländern aktiv – und ihre Teilnahme an Schlachten entscheidet oft über Sieg oder Niederlage."
(Quelle: Frankfurter Allgemeine Zeitung, 15.06.2020, „Putins Söldner: Krieg ist ihr Geschäftsmodell")

Weiß der DGB nicht, dass Russlands weltweit agierende „grüne Männlein" von privaten Oligarchen vorab bezahlt werden, die dann wiederum auf Putins Gnaden die Rohstoffvorräte plündern dürfen. Auf diese Art verschleiert Putin seine tatsächlichen Verteidigungskosten. Quo vadis, Arbeiterdeutschland? Wer solche Vertreter hat, braucht wahrlich keine (äußeren) Feinde mehr, sie verraten das eigene Land und machen sich dann aus dem Staub. Es ist einfach nur noch schrecklich.

Liebe europäische Mitbürger und Mitbürgerinnen, so kommen wir meines Erachtens wirklich nicht weiter und ich teile gerne meine Meinung mit ihnen. Auch ich gebe zu, dass ich mich viele Jahrzehnte lang von so einem Unsinn habe einlullen lassen. Auch ich habe darauf vertraut, dass sich mit dem Ende des Sowjetkommunismus alle sicherheitspolitischen Probleme erledigt hätten. Auch ich habe geglaubt, dass wir keine Sicherheitsinstrumente mehr benötigen werden. Aber ich wurde getäuscht von Politikern meiner Generation, oder besser, ich habe mich täuschen lassen. Ich habe mich täuschen lassen von Politikern, die ungefähr in meinem Alter sind, also praktisch alle, die nach dem 2. Weltkrieg geboren wurden, den Weltkrieg mit all seinen schrecklichen Auswüchsen also gar nicht mehr erlebt haben. Es ist die zweite oder dritte Politikergeneration nach den Herren Adenauer, De Gaulle, Churchill, die alle aus den Erfahrungen des 2. Weltkriegs eine Vision für den Nachkriegszustand hatten und die war, dass Europa sich vereinigen muss, um nicht im Streit nochmals so tief zu fallen. Ja, diese Herren hatten eine Vision von den Vereinigten Staaten von Europa! Es folgte eine Errungenschaft nach der anderen, anfangs der Marshallplan zur Stabilisierung der wirtschaftlichen Verhältnisse, dann die Montanunion, dann die EWG usw. Es ging generell in Europa wirtschaftlich bergauf, speziell in Deutschland aber immer rasanter; der allgemeine Wohlstand stieg und stieg. Und dann kam noch der wirtschaftliche und militärstrategische Zusammenbruch des Sowjetkommunismus. *Der* erklärte Feind war plötzlich über Nacht abhandengekommen. Europa brauchte keine Waffen mehr - und auch nicht mehr den militärischen Schutzschild der USA. Die (sicherheitspolitische) Vision der NATO war gleichzeitig auch weg. Und damit wohl auch die Vision für die Vereinigten Staaten von Europa. Europa wollte nur noch Geschäfte machen und global Handel treiben, mehr nicht. Europa verkam zu einem Krämerladen ohne eigene Sicherheiten!

Europa übersah, oder genauer, ein Teil unserer Politiker wollte übersehen, dass aber in anderen Teilen der Welt neue Mächte erwachsen, wie zum Beispiel China, die nicht nur Handel treiben, sondern durchaus auch mit militärischen Druckmitteln ihre Machtposition ausbauen wollten. Auch Putins Russland ist militärisch wieder erstarkt und übt Druck auf Europa aus. Gleichzeitig mahnten auch die USA, dass sie nicht in die Ewigkeit hinein, der Schutzpatron der visionslosen Europäer sein wollten. Des Weiteren führen die inneren Spannungen in Europa wie die Abspaltung Englands von der EU dazu, dass Europa wie ein führungsloser Tanker im Meer schlingert und praktisch schutzlos äußeren Piraten ausgesetzt ist.

Es war Helmut Schmidt, der einst sagte: „Wer Visionen hat, soll zum Arzt gehen!" und das hat meine Politikergeneration, also die politischen Ziehsöhne von Brandt und Schmidt leider wohl allzu wörtlich genommen. Sie hatten, aufgewachsen in Wohlstand und Prosperität, keine Ideen mehr, außer Friedensölzweige im Mund herumzutragen, obwohl wieder sehr schnell erkennbar Unruheherde entstanden, die eigentlich zur Wachsamkeit und zur Vereinigung Europas mahnten. Ich erwähne nur den brutalen Balkankrieg im südöstlichen Vorhof Europas, als warnendes Fanal für Unfrieden und Streit unter Völkern und Menschen. Ohne Vision, aber mit umso mehr Geltungssucht schwirren unsere National-Politiker durch Europa und die Welt, nicht wissend, oder schlimmer nicht wissen wollend, dass nur eine gemeinsame Strategie der EU-Länder uns allen hilft und uns gemeinsam stärker macht. Es gibt Sicherheitskonferenzen, es werden Zusagen gemacht, aber dann einfach wieder fallen gelassen, nach dem Motto, „was kümmert mich mein Geschwätz von gestern". So geschehen von deutschen Politikern und Politikerinnen, die das zugesagte Ziel 2% des BNP für Sicherheitsaufgaben zu verwenden, einfach wieder fallen ließen. So können wir keine Politik betreiben, weil das schlicht unzuverlässig ist. Viele Reisen unseres sehr verehrten Außenministers Herrn Maas wirken nur noch peinlich, weil er, mangels Druckmittel, nicht ernst genommen wird. Ich sage es immer wieder, ein Friedensölzweig im Mund allein wirkt keine Wunder, und ersetzt vor Allem nicht das offensichtliche Machtvakuum.

Es ist meines Erachtens einfach so, dass das eigene Machtvakuum durch die Macht anderer ausgefüllt werden wird, das wird so weit gehen, bis man früher oder später eine Kolonie eines anderen mächtigen Staates/Volkes ist. Wir Menschen sind (leider) so, und weil wir leider so sind (und denken), wird für mich der Typ Mutter Theresa immer die Ausnahme bleiben und nicht die Regel werden. Das werden auch unsere Friedensbewegten nicht ändern können. Was haben denn die friedlichen Gutmenschen und unsere Linken zum Beispiel bewirkt, als Putin die Krim einverleibt hat? Oder gerade jetzt, als China Hongkong praktisch annektiert hat? Was ist aus dem Spruch geworden: Frieden schaffen durch immer weniger Waffen? Haben wir heute weniger Waffen? Was haben denn die friedlichen Gutmenschen im Syrienkrieg erreicht? NICHTS.

Speziell Deutschland und ganz Europa wurde von Putins Russland an der Nase herumgeführt. Ich denke da an die vielen Mordanschläge, die in unseren Ländern verübt werden. Was sagen denn da unsere friedlichen Gutmenschen? Sollen wir uns das solange gefallen lassen, bis Putins Russland uns selbst einverleibt? Nein, in diesem Punkt haben die USA (leider) Recht, Deutschland trägt fraglos viel zu wenig zur eigenen Sicherheit bei. Auf diesem Feld muss sich Deutschland wirklich bewegen und zwar schnell.

Leider hat auch dazu die sehr verehrte Frau Verteidigungs-ministerin von Deutschland, Frau Kamp-Karrenbauer, kaum dass Herr Biden als zukünftiger US Präsident feststand, schon hinausgetönt, dass wir ohne US-Atomschutzschirm nicht auskommen können und werden. Ich habe den Eindruck, dass Deutschland einfach nicht erwachsen werden möchte. Immer wieder biedert es sich an die USA an und hängt sich an jeden Strohhalm, der ihm hingehalten wird, statt endlich zusammen mit den anderen Europäern selbstständig laufen zu lernen. Wann lernt Deutschland auf der Ebene der Sicherheitspolitik endlich ein europäisches Land zu sein und zu erkennen, dass die EU näher ist, als es die USA sind? Wer garantiert Deutschland, dass nach einem besonnenen Herrn Biden nicht doch wieder ein „America-First"-Trump an die Macht kommt und das ganze unwürdige Spiel der letzten vier Jahre wieder von vorne beginnt? Nein, Deutschland muss zusammen mit Frankreich auch auf diesem Feld neue und vor Allem eigene sicherheitspolitische Visionen setzen. Nur wenn Deutschland mit Frankreich kooperiert, wird Europa auch innerhalb der NATO wieder ein ernst genommener Partner sein.

Aber auch sonst wirkt Europa wie ein zahnloser Tiger. Man betrachte nur die rücksichtslose Frechheit, mit der Erdogan seine türkischen Seegebiete rückerobern möchte. Er bricht schamlos internationale Verträge, dringt in griechische, also EU-Hoheitsgewässer ein und erklärt sie zu türkischem Seegebiet. Oder er betreibt hinterrücks Waffenschmuggel mit Libyen, obwohl er selbst NATO-Mitglied ist. Was meinen denn dazu unsere friedlichen Gutmenschen? Die wedeln sicherlich mit dem Friedensölzweig und meinen, dass Erdogan damit verjagt werden kann.

Aber nicht nur Deutschland, auch weitere europäische Länder, zum Beispiel Österreich, werden plötzlich träge, wenn es um Aufwendungen zur eigenen Sicherheit geht. Ich werde das Gefühl nicht los, dass das Thema Sicherheitspolitik in einigen europäischen Ländern mit spitzen Fingern angefasst wird, nach dem Motto „Hannemann, geh du voran!" Es sind diese sicherheitspolitischen Trittbrettfahrer, die gerne Frieden sichern wollen, aber bitteschön mit den Waffen und Soldaten auf Kosten anderer.

Leider ist auch heute noch der Spruch von Friedrich Schiller aus seinem Werk „Wilhelm Tell" so wahr wie zu seiner Zeit: „Es kann der Frömmste nicht in Frieden leben, wenn's dem bösen Nachbarn nicht gefällt."

Ein Land muss seine Sicherheitsinstrumente zeigen können, wenn es unrechtmäßig von einem anderen attackiert wird. Das heißt aber noch lange nicht, dass man aggressiv ist, nur weil man sein Hab und Gut verteidigen möchte. Manchmal habe ich das Gefühl, dass das unsere Nationalstaatspolitiker noch immer nicht verstanden haben, oder schlicht nicht verstehen wollen.

Deutschland und Frankreich sind, wie England, Spanien oder Italien auch, schon lange keine Großmächte mehr und eigentlich dringend aufeinander angewiesen, wollen sie in die Weltboxarena klettern. Umso mehr verwundert es mich, dass die einzelnen europäischen Länder immer noch nationale Muskeln zeigen müssen, wo sie doch alle zusammen nur noch halbstarke Jungen sind.

Welches unserer europäischen Länder kann auch nur annähernd den großen Mächten wie den USA, China oder Russland verteidigungspolitisch die Stirn bieten? Zwar besitzen England und Frankreich atomare Angriffs- und Rückschlagswaffen, aber bedingt durch deren finanzielle Engpässe sind auch deren Ressourcen schon längst begrenzt.

Auch diese beiden Länder können schon lange nicht mehr alleine agieren.

Die aktuelle EU ist sicherlich wirtschaftlich betrachtet eine globale Macht, aber sicherheitspolitisch ist die EU ein Zwerg und hat dementsprechend viel Aufholbedarf; zwar wird versucht mittels PESCO (*Permanent Structured Cooperation*) eine gemeinsame verteidigungspolitische Linie zu finden, man kann aber aktuell überhaupt nicht von einer gemeinsamen europäischen Verteidigungsarmee sprechen.

Ob derzeit überhaupt eine gemeinsame europäische Sicherheitsstrategie gewollt und gewünscht ist, wage ich zu bezweifeln, für die VSE wäre sie fraglos obligatorisch! Eine politische Einheit setzt auch eine verteidigungspolitische Einheit voraus, alles andere wäre nicht zielführend.

Nachdem nun England aus dem EU-Verbund ausgeschieden ist – ich sage bewusst England, da sowohl Schottland wie auch Nordirland in der EU bleiben wollten –, bleibt nur ein Land, Frankreich als atomare Streitmacht in der EU übrig. Das ist einerseits wenig, aber andererseits auch wieder viel und sollte ausgebaut werden.

Aber auch da wären die VSE wichtig, weil Frankreich allein nicht die nötigen Gelder für einen atomaren Schutzschirm zur Verteidigung aufbringen kann, und sicherlich auch will. Eine Regierung der VSE würde natürlich über einen eigenen Haushalt und letztlich auch über ein angemessenes Verteidigungsbudget verfügen, um die gemeinsamen Sicherheitskosten aufzubringen. Außerdem ginge der Aufbau schneller, stringenter und einheitlicher. Die VSE würde global auch mit viel mehr Ernst wahrgenommen, als es die EU jemals zeigen könnte.

Und vor Allem würde die NATO gestärkt und die Anteilskosten, die die USA so oft bemängeln, würden europaseitig mehr als ausgeglichen werden.

Auf den folgenden Seiten habe ich beschrieben wie die Grundanforderungen an die VSE-Gründungsstaaten (Staaten der ersten Geschwindigkeit) aussehen könnten (ohne Anspruch auf Vollständigkeit).

Grundanforderungen an die VSE-Gründungsstaaten:

Der geneigte Leser hat schon bemerkt, dass ich ein großer Verfechter des Spruchs: „Weniger ist oft mehr", bin und es ist auch in diesem Fall so. Die VSE werden nur entstehen, wenn es eine Handvoll Staaten in Europa gibt, die ein großes Vertrauen zueinander haben und die bereit sind die eigene nationalstaatliche Macht zugunsten eines supranationalen Machtgefüges abzugeben. Mit den aktuellen 27-EU-Staaten wird das nie gelingen. Das muss es auch nicht. Die Handvoll Staaten bilden einen supranationalen Nukleus in Europa, während die anderen EU-Staaten zunächst in der EU bleiben und sukzessive, je nach Wunsch und Belieben, den VSE beitreten können.

Für die VSE-Gründungsstaaten habe ich ein paar Grund-anforderungen zusammengestellt, sie sind alle nicht neu und in vielen europäischen Demokratien verankert. Es ist auch nur eine erste Ideensammlung, Europajuristen finden da sicherlich die richtigen Sprachregelungen:

- gefestigte demokratische Strukturen mit einem funk-tionierendem Rechtssystem, klare Trennung von Legislative, Exekutive sowie Judikative (unabhängige Gerichte) verankert in Verfassungen, Grundrechten etc.
- Korruptionsfreie Regierungen und staatliche Institu-tionen
- stabile Regierungen mit langfristigen und verläss-lichen Zielen, kein oftmaliger Wechsel, keine uner-reichbaren Versprechungen und Wetten auf die Zukunft
- langfristig solide Haushaltsführung, geringe Ver-schuldung mit eingebauter Schuldenbremse, in der Lage sich selbst zu helfen, weitgehende Unab-hängigkeit von EU-Fördermaßnahmen und Unter-stützungen
- Bereitschaft den vorhandenen Euro als Währungs-einheit anzunehmen

- Bereitschaft zur eigenständigen Selbstverteidigung Europas und Aufstellung einer gemeinsamen europäischen Land-, See- sowie Luft-, Weltraumverteidigung und in der Lage die notwendigen Mittel zur Verfügung zu stellen.
- Bereitschaft zur Produktion von unabhängigen, eigenen Waffensystemen zur Friedenssicherung in Europa
- Bereitschaft an einer notwendigen „Europäischen Verfassung" mitzuwirken und diese auch zu akzeptieren sowie
- die klare Bereitschaft (also ohne internen oder externen Druck) nationale Rechte an eine supranationale Gemeinschaft abzugeben, damit sich eine supranationale Regierung bilden kann
- Bereitschaft die Gründungsakte zu den „Vereinigten Staaten von Europa" (VSE) zu unterzeichnen
- gleichzeitig aber offen sein für einen <u>Beitritt</u> weiterer williger und auch fähiger europäischer Länder, sofern diese die „Europäische Verfassung" und die Gründungsakte der VSE annehmen.

Wie gesagt, diese Liste muss sicherlich verlängert und detailliert werden, aber grundsätzlich muss der politische Wille da sein, die Vereinigten Staaten von Europa zu implementieren.

Wo bleibt Europa, wo ist die EU? (Fragen zur Zukunft)

Die ganze Welt ist momentan im Umbruch und die Frage darf/muss gestellt werden, wo wird unser so schöner Kontinent in 10, 20, 50 Jahren stehen? Wird es unseren „Kontinent" überhaupt noch geben und damit meine ich nicht seine geologische/terrestrische Ausdehnung, sondern seine politische und wirtschaftliche Existenz? Oder werden wir alle Vasallen anderer globaler Mächte oder Nationen sein?

Der Verlauf der Geschichte hat eines augenfällig gezeigt, dass alles ein steter Wandel ist und wenn wir Europäer nicht aufpassen und nicht (wieder) lernen unsere Geschicke selbst in die Hand zu nehmen, dann werden es andere für uns tun; dann werden wir, von anderen fremdbestimmt, unser Dasein fristen. Denn das muss Allen klar sein, es wird niemals ein (politisches und militärisches) Vakuum geben, steckt eine Seite zurück, dann preschen andere in diese Lücke. Wir Menschen sind so, wir sind alle keine Friedensengel, sondern Macht- und Geldgier getriebene Wesen, wir müssen uns tagtäglich selbst und andere an der Kandare halten, soll es ein friedliches Miteinander geben.

Meines Erachtens sind wir deshalb sogar verpflichtet, dass wir wieder selbst Laufen lernen. Das schulden wir unserem wunderschönen Kontinent, das schulden wir uns Europäern selbst. Unsere europäischen Länder sind so viele Jahrhunderte die Schrittmacher der Welt gewesen. Dort müssen wir wieder hin, wir Europäer.

Europa, eine Heimstatt für willige Länder wie Schottland und Nordirland in der EU und der zukünftigen VSE

Ein wichtiges Teilziel der VSE muss sein, auch in Zukunft offen zu bleiben für willige Länder, genauso wie die USA stets offen waren und sind für Länder, die den US-Staatsideen positiv gegenüber stehen.

Und das gilt im Besonderen auch für europäische Länder, die gegenüber der EU und der VSE positiv eingestellt sind, wie Schottland und Nordirland; diesen Ländern müssen die EU und VSE stets „offene Arme" entgegenstrecken und sie aufnehmen, sobald sie können und wollen. Irland selbst ist ja schon längst in der EU und auch im Euroraum der 19.

Folgende Zahlen von Wikipedia zeigen eindrucksvoll, welche Bevölkerungsanteile Iren und Schotten in der Welt haben:

Irische Bevölkerung weltweit, eine grobe Abschätzung	
Stand, Dez. 2020	
Land	Bevölkerung ca. Mio.
Republik Irland	4,6
Nordirland (nur irisch stämmig)	1,8
USA	40,0
Großbritannien (irische Abstammung)	14,0
Australien	7,0
Kanada	4,5
Argentinien	1,0
Mexiko	0,6
Neuseeland	0,6
Iren weltweit, grobe Schätzung	**70-80 Mio.**

Daten aus Wikipedia: Iren - Irish people, https://de.qwe.wiki/wiki/irish_people
Rund 800.000 in Irland geborene Menschen leben in Großbritannien. Rund 14.000.000 Menschen behaupten, irischer Abstammung zu sein

Die Bevölkerung Irlands beträgt ungefähr 6,3 Millionen, aber es wird geschätzt, dass 50 bis 80 Millionen Menschen auf der ganzen Welt irische Vorfahren haben, was die irische Diaspora zu einer der größten aller Nationen macht. In der

Vergangenheit war die Auswanderung aus Irland das Ergebnis von Konflikten, Hungersnöten und wirtschaftlichen Problemen. Menschen irischer Abstammung leben hauptsächlich in englischsprachigen Ländern, insbesondere in Großbritannien , den USA , Kanada und Australien .

Schottische Bevölkerung weltweit, eine grobe Abschätzung	
Stand, Dez. 2020	
Land	Bevölkerung ca. Mio.
Schottland	4,40
USA (rein schottische Abstammung)	5,50
USA (schottisch-irische Abstammung)	3,10
England	0,80
Nordirland	0,80
Australien	2,00
Kanada	4,80
Argentinien	0,10
Chile	0,08
Brasilien	0,05
Neuseeland	0,01
Schotten weltweit, grobe Schätzung	**28-40 Mio.**

Daten aus Wikipedia: Schottische Leute - Scottish people, https://de.qwe.wiki/wiki/Scottish_people

Gerade diesen beiden Völkern, müssen wir unsere Unterstützung anbieten, sind sie doch Botschafter für ausgewanderte Mitbürger in den vielen außereuropäischen Ländern wie in den USA und Canada, oder in Neuseeland und Australien, wohin sie emigrierten, weil sie ihr Mutterland verlassen mussten, unter Teils erbärmlichen und unwürdigen Umständen.

Ich denke da an die Hungersnöte in Irland während der Mitte des 19. Jahrhunderts, in denen Millionen Menschen verhungerten oder zur Auswanderung getrieben wurden, während die englischen Grundherren gleichzeitig irischen Weizen ins Ausland verkauften.

Oder an die sogenannten „Highland Clearances", während derer viele Schotten von ihren Landgütern vertrieben wurden und dadurch viele nolens volens nach Übersee emigrierten, um in den neuen Kolonien ihr Glück zu versuchen.

Ich meine, wir haben die Pflicht, den Schotten und Nordiren zu helfen. Europa muss Europäern immer eine Heimstatt sein und bleiben.

England zählt sich selbst ja nicht zu Europa!

8.0. SUPRANATIONALE FRAGESTELLUNGEN

Lassen wir uns nicht einreden, es wäre ein gutes Geschäft, wenn wir die Macht unserer großen europäischen Gemeinschaft gegen die viel kleinere Macht der vermeintlichen nationalen Souveränität eintauschen. Am Ende wäre das nämlich ein Verlust für uns alle. Aber abgesehen von der schlechten Verhandlungsposition, in die eine Regression in einzelne europäische Staaten uns bringen würde: Welche der großen anstehenden Probleme könnten die Einzelstaaten?
Univ.-Prof. Dr. Alexander Van der Bellen, Rede vor dem Europäischen Parlament in Straßburg am 14. 2. 2017

In Ergänzung zu den großen politischen und wirtschaftlichen Herausforderungen, vor der wir Europäer stehen, kommen noch weitere Herkulesaufgaben auf uns zu.

Ich denke da besonders an die Bereiche Klimawandel bzw. Klimaveränderung, Energiebedarf und -erzeugung, Verkehrsinfrastruktur, Kommunikation und IT, Verteidigung und Sicherheit, Weltraumtechnik, Gesundheit, Migration und weitere.

Jeder einzelne dieser Bereiche ist so groß, dass kein Land in Europa diese Aufgaben wird alleine lösen können; schon von daher wird es dringend notwendig sein, gemeinsam diese Aufgaben anzugehen. Auch aufgrund dieser Probleme muss ein supranationaler Bundesstaat eingerichtet werden, weil lose Staatenbünde immer wieder zum Rosinenpicken Einzelner verführt und damit die anderen automatisch schwächt oder benachteiligt, oder in dem die Themenkreise von Jahr zu Jahr hinausgeschoben, verzögert, oder gar ganz von der Agenda genommen werden.

Klimawandel und Klimaveränderung

Der Klimawandel findet statt, da gibt es wohl mittlerweile keine großen Debatten mehr. Aber das Klima und das Wetter kennen keine Grenzen und Kontinente. Daher müssen wir gemeinsam oder besser, wir können *nur* gemeinsam Lösungen finden, wie wir dem begegnen wollen und sollen. Jeder einzelne Nationalstaat wäre völlig überfordert, weil er nur Teillösungen machen könnte, schon aus dem Grund, weil er durch seine Nationalstaatsgrenzen eingegrenzt ist und gar keine Gesamtlösungen, auch wenn er wollte, anbieten und verfolgen könnte.

Das Klimaproblem ist ja schon in der EU bekannt, aber allein die Diskussionen rund ums Klima zeigen schon wieder die Grenzen der Durchführbarkeit auf. Einzelne Länder wollen mehr tun, weil sie finanziell besser ausgestattet sind, oder weil die Klimaproblematik im Land schon breiter diskutiert und verstanden wird. Für andere wiederum ist das Thema nicht so drängend, weil sie weniger Finanzmittel haben oder schlicht, weil Klima kein Thema im Land ist.

Na gut, momentan hat sich die EU diesbezüglich zusammengerauft, aber die EU wäre nicht die EU würden doch nicht wieder einzelne Länder aus der Reihe tanzen.

Polen lässt sich zum Beispiel die Zustimmung durch eine Extra Portion EU-Geld erkaufen, weil sie wohl überwiegend ihre Kohle verheizen wollen. Die Frage stellt sich natürlich immer, wer das letztlich bezahlt.

Energieerzeugung-, verteilung und -verbrauch

Europa ist ein starker und hochentwickelter Industriekontinent; es gibt wenige Kontinente, die eine so starke Industrialisierung haben wie Europa. Mir fällt dazu nur Nordamerika (USA und Canada) ein, oder auch teilweise China.

Allerdings sind die Industriezentren in Europa durchaus unterschiedlich verteilt, Deutschland insgesamt sowie einzelne Regionen in Frankreich, Italien oder in Spanien auch.

Viele andere Regionen wiederum sind stark agrarisch geprägt, können aber Flächen zur Energiegewinnung anbieten oder sie sind so unwirtlich, dass weder eine flächendeckende Industrie, noch eine vernünftige Agrarökonomie durchgeführt werden können, wie zum Beispiel die Alpenregionen oder auch die skandinavischen Länder. Dafür haben diese die Möglichkeit großflächig Gegenden anzubieten, in denen zum Beispiel Wind- und/oder Wasserenergie sinnvoll erzeugt werden können, aber auch Raum für Urlaub und Freizeit.

Europa braucht daher dringend ein supranationales Energieverteilungsnetz, mit dem die dezentralen Energieerzeuger mit den energieverbrauchenden Industriestandorten verbunden werden. Auch da ist es wieder so, dass der Energieaustausch nicht an der jeweiligen nationalen Grenze endet, sondern grenzüberschreitend stattfinden muss.

Es kann und darf nicht sein, dass zum Beispiel in Deutschland Windräder abgestellt werden müssen, damit nicht zu viel Strom nach Polen fließt, weil Polen die eigenen Kohlekraftwerke betreiben will. Es ist kontraproduktiv, Kohle zu verstromen und dabei jede Menge CO_2 zu produzieren und andererseits regenerative Stromerzeugungssysteme abzuschalten. Gleichzeitig möchte Polen aber „Extra Money" von der EU, für mehr Klimaschutz. Es ist immer das gleiche Geschachere ums Geld.

Auch mit den Energierohstoffen, Öl, Gas und Kohle ist es nicht optimal bestellt, sind doch auch hier die Orte der Gewinnung von den Verbraucherzentren oft weit weg; allerdings gibt es europaweit für Öl und Gas gut ausgebaute Netze zur Verteilung und Versorgung.

Da der Gas-, Öl- und Kohleverbrauch aber im Gegensatz zu zukünftigen Klimazielen steht, wird dieser langfristig mit Sicherheit gemindert und von anderen regenerativen Energien substituiert werden.

Als Beispiel fällt mir dazu die Wasserstoffgewinnung durch Elektrolyse mittels überschüssigem Strom ein, wenn Energie nicht direkt als Strom verwendet werden kann. Möglicherweise können dann die vorhandenen Gasnetze zum Transport von Wasserstoff verwendet werden. Auch das wäre wieder eine transnationale Aufgabe. Beispielhaft für diese Transportmöglichkeit steht die Stadt Hamburg, die den Hafen zukünftig mit grünem Wasserstoff versorgen möchte.

Verkehrsinfrastruktur

Die Klimadiskussion hat richtigerweise dazu geführt, dass die derzeitigen Verkehrsmittel nicht oder nicht mehr zukunftsfähig sind, sondern durch klimafreundliche Systeme ersetzt werden sollen und müssen.

Für kurze Verkehrswege wird es sicherlich bald vernünftige Lösungen geben, da bin ich überzeugt, wie sieht es aber mit den mittel- und gar langen Verkehrswegen aus? Bis dato werden diese fast ausschließlich per Flugzeug überbrückt, manche auch per Hochgeschwindigkeitszügen.

Für Distanzen von 400 bis 500 Kilometer werden sicherlich die schienenbezogenen Hochgeschwindigkeitszüge weiterhin ausreichen, aber wie sieht es aus bei europäischen Distanzen, also bei grenzüberschreitenden Verkehrswegen, die 1.000 Kilometer und mehr überbrücken müssen. Da reichen auch Hochgeschwindigkeitszüge nicht mehr aus, sondern da müssen andere Transportsysteme her, wie zum Beispiel eine Magnetschwebetechnik oder dergleichen. Man darf es fast nicht laut sagen, aber die Magnetschwebetechnik ist eine ureuropäische Erfindung, wurde aber in China erstmals großflächig eingesetzt. „Quo usque tandem patria nationalis, patientia nostra?"

Auch dafür sind wiederum supranationale Fragestellungen zu lösen und zu entscheiden. Mit unserer nationalstaatlichen Denke kommen wir damit nicht weit.

Ganz besonders gilt dies für den transnationalen Güterverkehr, der vorwiegend über die Straße verläuft. Es gibt bestens ausgebaute Autobahnnetze, die Europa komplett umspannen. Aber wie siehts mit einer europaweiten klimafreundlichen Energieversorgung aus, wenn all die gefühlten Hunderttausende von LKWs, die tagtäglich unsere Autobahnen benutzen, von Diesel auf Strom oder Wasserstoff umgerüstet werden müssen? Auch dafür wären supranationale Forschungen und Entwicklungen vonnöten.

Kommunikation und IT

Bei diesem Thema frage ich mich im Besonderen, wieso Europa hier so abgeschlagen ist.

Können wir wirklich nur Auto, und das bald auch nicht mehr, obwohl wir kompetente Hersteller von Kommunikationssystemen wie zum Beispiel für Telefone und Handys haben (Siemens und Nokia), oder Lieferanten von Übertragungssystemen wie Siemens oder Alstom oder Ericsson oder Nokia oder die Telekom?

Sind wir nicht in der Lage, kompetitiv zu sein zu den bekannten Softwareschmieden wie Google oder Microsoft oder Facebook, obwohl wir SAP und viele andere Softwarehersteller in Europa haben?

Und wie ist es mit der Unterhaltungselektronik?

Es bringt mich fast zum Verzweifeln, haben doch europäische Firmen wie Grundig, Philips, Siemens, Blaupunkt etc jahrzehntelang führend diesen Markt beherrscht und wo stehen wir jetzt? Darf es nur noch Huawei, Samsung, Sony, Acer oder Panasonic sein?

Warum wird das Satellitennavigationssystem Galileo nicht als Standardsystem in Europa festgelegt? Warum gibt es fast ausschließlich GPS zur Anwendung? Warum öffnen wir damit ausländischen Geheimdiensten völlig frei und umsonst den Zugriff und die Bewegungsprofile unserer europäischen Mitbürger?

Ich denke, gerade bei diesem sensiblen und zukunftsträchtigen Bereich, da bedarf es supranationaler europäischer Regelungen, wollen wir uns nicht mit Haut und Haaren außereuropäischen Mächten ausliefern.

Gerade das Wissen über die IT und die Unabhängigkeit von anderen Staaten muss uns besonders schutzbedürftig sein und darf uns nicht von anderen abhängig machen. Das Beispiel 5G-Übertragungstechnologie müsste uns aufhorchen lassen, wenn alle Stellen behaupten, dass nur Huawei diese Technologie liefern kann. Sind unsere IT-Konzerne nicht in der Lage diese Technologie zu beherrschen? Dann müssen wir eben unsere europäischen Hersteller unterstützen, so wie es andere Länder auch machen. Da dürfen wir uns nicht zu schade sein und klingt zwar protektionistisch, aber sowohl China wie auch die USA schauen sehr penibel drauf, wenn es um ihre eigenen Technologien geht.

Verteidigung und Sicherheit

Dieses Kernthema begleitet uns schon durch das ganze Buch. Europa (die EU) ist wirtschaftlich ein Riese, aber verteidigungspolitisch und sicherheitstechnisch ein kleiner Zwerg. Es erfüllt mich mit Angst wie teilweise nonchalant unsere Nationalstaatspolitiker mit diesem Thema (nicht) umgehen.

Speziell unsere deutschen Nationalpolitiker sind hier in einer unrühmlichen Frontstellung, beklatscht von ihren friedensbewegten Mitläufern. Dabei fallen mir die Bilder von den drei berühmtem Affen ein („Nichts sehen, nichts hören, nichts sagen"), wenn wieder mal das Thema der mangelnden Verteidigungsbereitschaft in Deutschland im Raum steht. Jeder in Deutschland weiß, dass Deutschland zu wenig für die eigene Sicherheit ausgibt, aber das Verteidigungsbudget wird immer kleiner, statt größer. Es ist eigentlich eine Schande, es ist wirklich unwürdig, mit welcher Dreistigkeit unsere deutschen Politiker dieses Thema kleinreden. Deutschland hat sich da jahrzehntelang nur allzu gerne in einem Friedenseckchen eingenistet, immer mit dem Friedensölzweig im Mund und rufend: „Von Deutschland darf kein Krieg mehr ausgehen." Besonders die linksorientierte Seite der Nationalpolitik mit ihren immer lauter werdenden Chören von Schwertern zu Pflugscharen, als fünfte Kolonne Moskaus hat sich mit ihrer ideologischen Verlogenheit herausgehoben.

Was hat das eine, die Verteidigungsbereitschaft, bitte schön mit dem anderen, Krieg zu führen überhaupt zu tun? Warum *muss* man schon an Krieg denken, wenn man nur seine eigene Sicherheit gewährleistet haben will? Sind unsere (vor allem die deutschen) Nationalstaatspolitiker nicht in der Lage, das eine vom anderen zu unterscheiden?

Ja, das Thema Verteidigung und Sicherheit ist definitiv eine supranationale, europäische Aufgabe und *muss* seitens der VSE eigenständig vorangetrieben werden. Da haben unsere, vor Allem unsere deutschen, Nationalpolitiker bislang auf der ganzen Linie versagt. Aber auch andere Nationalpolitiker sind vielfach nicht besser.

Fassungslos las ich vor Kurzem, dass die sehr verehrte niederländische Verteidigungsministerin, Frau Bijleveld mit dem (nationalen) Brustton der Überzeugung bemerkte, dass *„eine europäische Armee nicht ihr (niederländisches) Ziel"* sei. (Frankfurter Allgemeine Zeitung, vom 04.12.2020 zum Thema, Truppenbesuch beim deutsch-niederländischen Korps in Münster)

Wer solche egoistisch nationale Verteidigungsminister hat, der braucht keine außereuropäischen Großmächte mehr und kann sich gleich in die Reihe der fünften Kolonne Moskaus oder Pekings stellen, wie der DGB und viele linksorientierte Politiker das in Deutschland vormachen. Jeder in Europa schaut nur auf sich selbst, nach dem sehr traurigen Motto: „Wenn jeder nur an sich denkt, dann ist auch an alle gedacht". Und alle denken, dass ein Herr Biden es wieder richten wird und wir alle in Europa nur die fröhlichen Trittbrettfahrer bleiben dürfen. Mit dieser Krämerdenke sind wir Europäer nicht mehr zukunftsfähig und anderen Mächten ausgeliefert wie einst die Karthager den Römern vor dem dritten punischen Krieg. Für das, was danach passierte zitiere ich Cato den Älteren:

„Ceterum censeo Carthaginem esse delendam!"

Liebe Leserin und lieber Leser, bitte rufen Sie sich diese Tatsache ins Gedächtnis und lassen Sie einen Schauder über ihren Rücken runterlaufen.

Ich bin der Überzeugung, diesbezüglich handeln viele unserer aktuellen Nationalstaatspolitiker grobfahrlässig und gegenüber uns Mitbürgern unredlich; sie streuen uns gewissermaßen wider besseren Wissens Sand in unsere Augen. Schon dafür muss ihnen das politische Mandat komplett entzogen werden.

Ich bin fern der Meinung, dass „der Krieg der Vater aller Dinge sein" muss (Heraklit: „Krieg ist Vater von allen"), aber Europa muss auf dem Gebiet der (Eigen)Sicherheit selbst „Geld in die Hand nehmen" und die sicherheitstechnischen Forschungen und Entwicklungen vorantreiben. Europa muss selbst seine eigene „Wachmannschaft" aufbauen (wie am Beispiel des Grand Palais erwähnt). Wenn eine wirtschaftliche Großmacht wie die EU dazu nicht in der Lage ist die eigene Sicherheit zu gewährleisten, dann wird sich Europa von der Weltbühne verabschieden, dann werden wir filetiert, das ist gewiss.

Des Weiteren sind wir momentan viel zu sehr US-zentriert und grundsätzlich für alle Geheimdienste einsehbar wie ein offenes Buch. Muss das wirklich sein? Oder ist das nicht nur lässlich, sondern gar brandgefährlich, wenn alle großen Mächte um uns herum über unsere geheimsten Fragestellungen Bescheid wissen? Auch da kümmern sich unsere Politiker nicht, oder streuen uns auch da Sand in die Augen.

Ich kann wirklich nicht verstehen, warum unsere Politiker unsere eigenen technologischen Fähigkeiten immer kleiner reden, als sie tatsächlich sind; als wären wir ein technologischer Dritte-Welt-Kontinent. Gerade das Beispiel Airbus zeigt, welch Kompetenz in Europa steckt, wenn es bereit ist, gemeinsam ein wichtiges Thema anzugehen. Ob es sich um den A380 handelt oder die A320-Serie, das ist Technologie auf höchstem Niveau. Auch das Ariane-Weltraumprogramm zeigt, dass Europa ins All fliegen kann, um Satelliten dorthin zu bringen. Ich bin überzeugt, dass Europa wieder ein Leuchtturm sein wird, wenn sich Europa zu einem einheitlichen Ganzen zusammenfügt. Ich kann es wirklich nicht mehr hören, wenn über unser Europa so abschätzig gesprochen wird. Statt sich tage- und nächtelang zu streiten „wie die Kesselflicker", sollten unsere Politiker sich zusammensetzen und eine Vision für die VSE und unsere Sicherheit entwickeln. Sie sollten wie beim Pabstkonklave solange eingesperrt bleiben, bis sie eine Vision für Europa zusammen haben.

Wenn wirtschaftlich gesehen so kleine Länder wie Israel in der Lage sind Raketen und Drohnen zu bauen, dann wird es doch der VSE auch gelingen, oder? Wenn Länder wie Israel, Nordkorea und Pakistan Raketen mit Atomsprengköpfen bauen können, dann sollten die zukünftigen VSE es auch können. Mit Frankreich hätten die VSE ja schon einen jahrzehntelangen Partner im Boot, auf dem aufgebaut werden könnte.

Zwar gibt es bereits erste zwischenstaatliche Kooperationen in Sachen Verteidigung wie zum Beispiel die gemeinsame

Entwicklung von Kampfflugzeugen gemäß F-CAS-Abkommen, aber was soll da eigentlich noch England dabei? Kann man mit vertragsbrechenden Hütchenspielern überhaupt Geschäfte machen? Nein, ich finde England hat seine Reputation völlig eingebüßt und innerhalb der EU, und später der VSE, nichts mehr verloren. Nein, ich meine „Cherry pickende" Egoisten müssen außen vor bleiben. Sie wurden von ihren Eliten verführt und haben gewählt. „Alle Kälber wählen ihre Metzger bekanntlich selber", sagt ein Sprichwort.

Weltraumtechnik

Auch auf diesem Feld kann Europa vieles bewirken, wenn Europa zusammensteht und beherzt in den Wettbewerb mit den anderen globalen Mächten tritt. Auf jeden Fall würde Europa auf der Weltbühne viel ernster wahrgenommen und eingebunden in global zu lösende Fragestellungen.

Es ist ja einiges an Erfahrung und Kenntnis da, aber reicht das für die Zukunft? Müssen wir nicht mehr tun, um wettbewerbsfähig zu bleiben? Man muss nicht gleich an einen „Krieg der Sterne" denken, um festzustellen, dass bereits Privatleute wie ein Herr Musk und ein Herr Branson in der Lage sind günstige Raketen zu bauen. Um wie viel mehr werden die USA an Mitteln aufbringen können und wollen, um auch zukünftig in erster Reihe zu sein.

Es ist eigentlich unglaublich, dass das erste Wissen über die Raketentechnik aus Europa gekommen ist und dann von anderen globalen Mächten übernommen wurde und diese jetzt führend sind.

Auf jeden Fall ist immer noch viel Wissen da, auf das wir auf- und ausbauen können. Aber wir müssen es tun!

Gesundheit und Gesundheitssysteme

Die Corona-Pandemie hat bitter vor Augen geführt, dass die jahrzehntelange Staateritis der EU-Länder ein völlig überholtes Staatsmodell ist, weil sie gerade bei transnationalen Herausforderungen völlig versagt hat.

Die durch die Globalisierung hervorgerufene, weltweite Vernetzung stellt uns vor komplett neue Herausforderungen, die unsere nationalen Systeme nicht mehr beherrschen.

Ich denke da nur an das Chaos rund um die anfänglich nicht vorhandenen Masken am Beginn der Pandemie in Europa; eigentlich ein Unding! Wie kann es sein, dass ein ganzer Kontinent von den Lieferungen aus China abhängig ist? Wie kann es sein, dass ein paar Cent Einsparung bei den Produktionskosten unser ziviles Leben lahmlegt?

Oder die wirren Zustände rund um die klinische Versorgung unserer Bürger in den verschiedenen Ländern; ich will keine Namen nennen, jeder weiß, welche ich meine. Es kann nicht sein, dass in einem Land viele Menschen sterben müssen, während sie in anderen gut versorgt werden.

Es kann nicht sein, dass es Europäer der ersten oder zweiten Gesundheitsklasse gibt, Menschen also, die auf ein modernes Gesundheitssystem zurückgreifen können und andere, die in einem schlechten Gesundheitssystem leben müssen. Nein, das darf nicht sein, das ist unwürdig! Das verdanken wir alles unseren Nationalstaatspolitikern, die einen Teufel tun für uns Europäer.

Es darf doch nicht sein, dass ein pandemisches Problem national gelöst wird! Und es kann nicht sein, dass Europa (die EU) auf so eine gesundheitsgefährdende Viruserkrankung keine Antwort hatte.

Nein, spätestens jetzt muss allen klar sein, dass wir supranationale Einrichtungen brauchen. Spätestens jetzt müssen unsere Nationalstaatspolitiker umdenken, ihre „Staateritis-

Löcher" verlassen und sich den supranationalen Aufgaben stellen. Denn es gibt wirklich viel zu tun und das kann und darf nicht auf unseren europäischen Bürgerschultern abgetragen werden. Zur Kasse werden wir in jedem Fall gebeten.

Es kann nicht sein, dass jeder Nationalstaatspolitiker wieder Honig zieht und so tut, als wäre das europäische Corona-Geld seine Leistung. Nein, das ist sie nicht! Sondern, das ist unser Geld, das wir verdient haben. Und dieses Geld möchte er nun verteilen. Er hat null Leistung dafür erbracht und möchte uns weismachen, was er Tolles dafür getan hat.

Im Grunde muss unser komplettes Gesundheitssystem eine Stufe höher gestellt werden, auf eine supranationale Ebene, damit die nationalen Ungerechtigkeiten ausgeglichen werden.

Aber genau das schaffen unsere Nationalstaatspolitiker nicht. Sie sind überfordert, weil sie in ihrem Nationalstaatsdenken gefangen sind, weil sie keine Vision für Europa haben.

Es müssen also, wie schon öfters in diesem Buch festgehalten, wir Europäer selbst das Heft in die Hand nehmen und (supranationale) Europaparteien gründen und beginnen die supranationalen VSE aufzubauen.

Meines Erachtens müssen dann folgende supranationale Organe für ein einheitliches Gesundheitssystem errichtet werden:

- Europäisches Gesundheitsministerium mit den nachrangigen Instituten
- supranationale Zulassungsbehörde (eine EMA besteht bereits, darf aber selbst nichts zulassen, sondern wiederum nur die „Europäische Kommission")

Auszug aus der EMA-Plattform: (Der Ausschuss für Humanarzneimittel (CHMP) (der EMA) erstellt am Ende des Verfahrens ein wissenschaftliches Gutachten und gibt eine positive oder negative Empfehlung zur Zulassung. Diese Zulassungsempfehlung bildet die Basis für die Entscheidung der Europäischen Kommission, die die Zulassung ausspricht.

- So etwas wie ein Robert Koch Institut, als Netzwerkknoten in Zusammenarbeit mit globalen Gesundheitsorganen
- So etwas wie ein Bernhard Nocht Institut für Tropenmedizin
- So etwas wie ein Paul Ehrlich Institut für Impfstoffe und biomedizinische Impfstoffe
- weitere Organe für Medizinprodukte zur Prüfung und europäische Zulassung etc.

Natürlich arbeiten auch jetzt schon viele nationale Gesundheitsämter und -behörden in Europa zusammen, aber es fehlt eine durchgehende Richtschnur für alle Länder, eine Leitlinie, wie schnell und präzise *allen* Europäern geholfen werden kann.

Vor allem fehlt, wie die medizinische Versorgung für alle gleichermaßen gewährleistet ist wie Ausstattung und Kapazitäten der Krankenhäuser, Vorhaltung von Medikamenten und medizinischen Produkten, medizintechnische Ausrüstungen wie Diagnose- und Therapiegeräte.

Es fehlt meines Erachtens an einer europäischen Leitlinie zur medizinischen Ausbildung/zum Medizinstudium.

Es muss der Aufbau eines europaweiten Krankenversicherungswesens begonnen werden, damit alle Europabürger in den Genuss einer würdigen Krankenversorgung kommen.

Migration

Augenfälliger kann es nicht sein!

Während ich an diesem Buch schreibe, passieren unwürdige und schlimme Dinge in Griechenland. Das völlig überfüllte Migrantenghetto in Moria auf der Insel Lesbos brennt, alle dort lebenden Migranten haben ab jetzt keine oder nur noch rudimentäre Unterkünfte. Über 10.000 (in Worten, zehntausend) Obdachlose stehen sprichwörtlich nackt vor ihren restlichen Habseligkeiten! Sie stehen praktisch vor dem nichts! Dabei ist es völlig egal, ob es die Migranten selbst waren, die es anzündeten, oder andere.

Und was tun die Länder der EU?! Sie sind schockiert! Sie bedauern außerordentlich die Lage der Flüchtlinge. Aber tun gleichzeitig so, als wäre es nicht ihr Problem! Es ist „das Problem" Griechenlands, das gemäß Schengen-Abkommen für die Außengrenzen zuständig ist.

Egal ob Deutschland, Frankreich, Österreich, oder auch Polen, Ungarn, Tschechien, oder Dänemark und Schweden, alle, aber auch wirklich alle spielen das gleiche Spiel: „Hannemann, geh du voran!"

Europa, das heißt, alle europäischen Staaten ducken sich weg – und zeigen auf die anderen Staaten und alle zusammen zeigen auf Griechenland. Und Griechenland versinkt im Migrantensumpf, weil es mit seinen Inseln zu nahe an der Türkei liegt. Und Herr Erdogan öffnet und schließt die Schleusentore je nach Erpressungsbedarf gegenüber Europa.

Zugegeben, das Problem ist äußerst komplex und es sind zu viele politische „Player" am Werk, die ihre würdelosen Spielchen auf dem Rücken der Flüchtlinge austragen lassen.

Gewiss, das Kern-„Problem" ist Erdogans Türkei, die nach Belieben Teile der, meist syrischen, Flüchtlinge über das Meer schippern lässt.

Aber ist es letztlich nicht unsere, das heißt die schwache Stellung unserer Nationalstaatspolitiker, die eifersüchtig ihre nationale Stellung behaupten wollen, statt Teile ihrer Macht an ein supranationales Außenministerium abzugeben?

Da fahren dann der sehr verehrte Außenminister Deutschlands, Herr Maas zu Herrn Erdogan und dann vielleicht zwei Tage später der sehr verehrte Außenminister Frankreichs, Herr Le Drian und diskutieren mit dem Herrn Erdogan und ehrlicherweise kommt dann nur etwas heraus, wenn einer der beiden Herren oder besser beide etwas Geld in der Tasche haben, damit Herr Erdogan die Schleusen wieder schließt.

Ich meine, die Flüchtlingspolitik ist „in toto" eine supranationale Aufgabe und darf nicht weiter von nationalen Politikern betrieben werden, sondern muss im Rahmen einer VSE-Gründung – oder schon viel früher – zentral verfolgt werden. Leute wie ein Herr Kurz oder ein Herr Orban oder ein Herr Morawiecki sollen dann einfach die Füße still halten und die europaweit festgelegten Quoten akzeptieren.

9.0. LITERATURVERZEICHNIS

Menschen, Bücher und Dokumente haben mir bei meinen Überlegungen zu diesem Buch geholfen. Es ist ja praktisch nichts neu, sondern oft nur „vergraben" und mittels moderner Medien nach oben geholt, oder manchmal hochgepoppt und dann wieder in der Versenkung verschwunden.

Die einzelnen genannten Zitategeber haben mir geholfen, mich in meinem Buch bei der Richtungsfindung zu unterstützen. Ich fühlte mich nicht so allein gelassen, bei den Überlegungen.

Viele erste Informationen, Kenntnisse und Anregungen verdanke ich verschiedenen Lehrern im Gymnasium, die mich als Schüler mittels Diavorträgen und Erzählungen schon in frühester Jugend inspirierten, „die Welt" zu erkunden. Ich fand die Fächer Geschichte und Geographie immer sehr interessant und bereichernd, der Schulatlas war mein ständiger Begleiter und Wissensschatz während der Schulzeit; des Gleichen Geschichtsbücher, die mich anregten, in die Geschichte einzutauchen.

In weiterer Folge durfte ich viele Auslandsreisen, beruflich wie privat, durchführen und so lernte ich schon vor dieser Reise viele Länder kennen. Diverse Reiseführer und Sachbücher unterstützten die laufende Kenntniserweiterung. Persönliche Kontakte während meiner Auslandsprojekte öffneten meinen Meinungshorizont.

Neben Tageszeitungen und Wochenmagazinen wie die FAZ und der Spiegel stehen natürlich die modernen Medien wie Fernsehen und Internet, die heutzutage praktisch „alles" finden lassen, wenn man nur lange genug recherchiert. Gute Dokumentationen auf Phoenix, ARD, ZDF, NTV wie zum Beispiel „History" oder andere Geschichtssendungen öffnen jedem Interessierten die Welt der Vergangenheit, das „World-Wide-

Web" tut sein Übriges; Wikipedia steht nur beispielhaft für die schiere Vielzahl an gehaltvollen Online-Plattformen.

Lightning Source UK Ltd.
Milton Keynes UK
UKHW020904301220
376134UK00014B/1453